FIGURES ET
QUI PASSAIENT

Pierre Loti

PASSAGE D'ENFANT

5 décembre 1894.

Ce que je vais écrire est pour ceux qui, dans les cimetières, contemplant quelque fosse à peine fermée que les premiers bouquets blancs recouvrent encore, se sont sentis tenaillés jusqu'au fond et déchirés, au souvenir de petits yeux candides, éteints là sous la terre affreuse…

Oh ! l'énigme déroutante et sombre, que la mort des petits enfants !… Pourquoi ceux-là, au lieu de nous, qui avons fini et qui, si volontiers, accepterions de partir ?… Ou plutôt, pourquoi étaient-ils venus, alors, puisqu'ils devaient s'en retourner si vite après avoir subi l'inique châtiment d'une agonie ?… Devant leurs tombes blanches, notre raison et notre cœur se débattent, en détresse révoltée, au milieu de ténèbres…

Le petit être délicieux, dont je voudrais prolonger un peu la mémoire en parlant de lui, était le fils unique de Sylvestre, – un domestique à nous qui est devenu, après dix années, presque quelqu'un de la famille.

Il n'avait vu que deux fois les étés de la terre. Ses cheveux de soie jaune, comme on en met aux poupées, se partageaient en drôles de petites mèches, rebelles aux coiffures. Son teint était comme celui des roses de Bengale, ses traits comme ceux des anges ; il avait une petite bouche ouverte, au-dessus d'un menton un peu rentrant qui lui donnait une naïveté adorable. D'ailleurs, le plus joyeux des innocents bébés, tout au bonheur nouveau d'exister, de respirer, de se mouvoir ; plein de vie et de santé fraîche ; potelé, musclé comme les Amours païens.

Mais son charme surtout était dans ses yeux, de grands yeux bleus assez enfoncés sous l'arcade du front, des yeux de candeur, de confiance et aussi de continuel étonnement devant toutes les choses de ce monde…

A Paris, ce matin gris de décembre, dans une chambre d'hôtel quelconque, sans nouvelles depuis quatre jours, arrivant d'un voyage du Nord, j'ouvre au hasard une de mes lettres prises à la poste restante. – Et elle commence ainsi : « Hier au soir, à huit heures, cet amour de petit Roger mourait dans d'affreuses souffrances. Nous le pleurons tous, et Sylvestre fait une pitié profonde... »

... D'abord, je tourne sur place et je marche, vite, comme sous la poussée et l'exaspération d'une douleur physique... Ensuite, je reprends la lettre, pour continuer de savoir : c'est le croup, qui l'a emporté en quelques heures, au milieu de l'affolement de ceux qui le soignaient...

Je marche encore, détaillant sans savoir pourquoi les objets, les laideurs de cette chambre, repoussant du pied des choses qui m'entravent pour passer, – le temps de bien comprendre l'inexorable réalité de ce que je viens de lire, et puis, tout à coup, un nuage, je n'y vois plus – et je pleure...

L'idée ne m'était jamais venue que ce petit Roger pouvait mourir... Et puis, non, je ne croyais pas qu'il avait pris tant de place en moi, ce petit-là, je ne pouvais pas croire que je l'aimais tant !... Est-ce qu'on sait d'ailleurs pourquoi on aime tel petit être qui ne vous est rien, plutôt que tel autre qui vous touche de plus près : c'est quelque chose qui va des yeux dans les yeux, qui vient de la toute petite âme candide et neuve, pour pénétrer doucement jusqu'au fond de la vôtre, lassée et morne...

Dans ce même courrier, une dépêche, qui attendait aussi depuis deux jours à la poste restante : « Je suis dans la peine. Notre petit Roger mort. SYLVESTRE. »

Maintenant je regarde les dates. Tout cela est déjà d'avant-hier ! Donc, on l'emportera au cimetière ce soir, et il est trop tard, je n'ai aucune possibilité d'arriver, aucun moyen humain de revoir la chère petite figure, même rigide et pâlie...

Roger Couëc, c'était le titre qu'il se donnait à lui-même quand on lui demandait : « Comment t'appelles-tu ? » (Couëc, une abréviation à lui du nom de son père, qui est un nom de Bretagne aux rudes consonances de granit.) Quand il prononçait ce Couëc, il était comique si gentiment, qu'on le lui faisait toujours redire – et, de retrouver aujourd'hui ce pauvre petit mot enfantin, de le réentendre en souvenir, me fait mal affreusement.

Ici, à Paris, où je devais m'arrêter, j'avais mille choses à faire, tant de rendez-vous arrangés ; des amis comptaient sur moi pour régler des questions importantes... Rien de tout cela n'existe plus ; sans seulement m'inquiéter de les avertir, je veux au plus vite m'en aller, rentrer chez moi, dans ma maison où pourtant va manquer pour toujours cette petite fleur qui était Roger Couëc.

Mais je n'ai de train possible pour m'emmener que ce soir et, pendant tout un long jour désolé, il va falloir attendre dans cette chambre, ou bien errer dans les rues ; au milieu d'ambiances indifférentes ou hostiles, être sombre et seul, en révolte outrée et sans espoir contre la cruauté stupide de la mort, qui ferme de tels petits yeux, qui fauche de tels petits anges pour les coucher dans son charnier...

« Je suis dans la peine. Notre petit Roger mort. » Tandis que les heures suivent leur marche lente, je fais comme une revue de cette existence de deux étés – chaque instant qui vient, après la stupeur première, martelant en moi plus profondément la notion que c'est à tout jamais fini...

Oh ! sa petite voix dans la cour de notre maison quand je passais devant le logis de ses parents et qu'il voulait me suivre : « Messieu ! messieu ! » (Pour lui, monsieur était mon nom.) Et ensuite son petit trottinement joyeux derrière moi, pour me rejoindre... Fini et glacé, tout cela !...

En souvenir, il me réapparaît surtout avec une certaine robe de molleton rose, qui fut son costume de tous les jours pendant cette fin de saison, et une cravate « La Vallière » blanche, brodée à chaque bout d'une fleur chinoise, qu'il portait généralement sens devant

5

derrière, la rosette dans le dos, sous les petites mèches de ses cheveux jaunes... Mon Dieu, voici que cela me déchire le cœur à me faire pleurer encore, de penser à cette petite cravate tournée à rebours, retombant sur le dos de cette robe rose...

Il était très vif, ce petit Roger, et cependant il ne se mettait jamais dans de méchantes colères, comme tant d'autres enfants ; quand on le contrariait, en l'empêchant d'aller patauger dans l'eau ou en lui retirant des mains quelque objet qu'il aurait brisé, il jetait de grands cris et pleurait de grosses larmes ; mais c'était du désespoir seulement, avec un air de dire : « Est-il possible qu'on soit si injuste pour moi ? est-il possible qu'il m'arrive des malheurs pareils ? » Alors, il était si adorable qu'on lui cédait toujours. Et à présent, on donnerait des jours de la vie pour ne lui avoir jamais causé même ces petits chagrins-là.

Parfois, quand il croyait avoir quelque chose de bien important à faire et qu'on voulait l'arrêter au passage, il vous regardait avec un sérieux impayable, en vous repoussant du bras sans rien dire les sourcils froncés, et il continuait son chemin ; – les chats, à certaines heures, affectent de ces gravités drôles et charmantes, quand ils se rendent empressés quelque part, trop occupés pour répondre à votre appel.

Il avait des yeux, ce Roger, des yeux qui n'étaient pas de la terre, qui souriaient d'habitude avec une petite joie confiante, mais qui, par instants furtifs, regardaient trop profond. Bien que tout en lui respirât la vie, l'insouciant bonheur de croître et de rire, il avait des yeux, quand on y repense, qui semblaient interroger, implorer, s'inquiéter de quelque lendemain noir...

Et ce sont ceux-là qu'elle va choisir, la vieille Faucheuse implacable et imbécile, pour les jeter dans ses trous de cimetière !...

Le lendemain 6 décembre, après une nuit de voyage, j'arrive chez moi, au lever d'un sinistre jour d'hiver. Dans ma chambre, je trouve le pauvre Sylvestre allumant mon feu. Avec des sanglots qui tout de suite lui viennent, il me dit cette simple et enfantine phrase, résumant tout : « J'ai perdu mon petit Roger. » Et là, dans cette chambre glacée encore, éclairée par un commencement de jour et par une lampe qu'on a oublié d'éteindre, il me raconte la fin de ce petit enfant que je pleure autant que lui...

Si inattendue et si brusque, cette agression de la Mort ! Il a été étouffé, en pleine vie, luttant, tordant ses petites mains dans la souffrance... « Jusqu'au dernier moment, dit Sylvestre, il me tendait les bras pour que je le prenne, il s'accrochait à moi, il voulait se soulever, il ne voulait pas mourir... »

En écoutant les déchirantes choses qu'il me dit, je me rappelle tout à coup une scène de l'été passé : un soir, on était venu m'avertir que le petit Roger s'étouffait, et j'étais accouru chez ses parents. Là, je l'avais trouvé assis sur les genoux de sa mère, encore tout rouge, tout tremblant, des larmes sur les joues, et il avait serré mon doigt, dans sa petite main, puis m'avait regardé, les yeux froncés et implorants, avec un air de me dire : « Crois-tu, ce qui vient de m'arriver !... La peur que j'ai eue d'étouffer comme ça, si tu savais !... » Ce n'était rien de grave ; tout simplement, il s'était enroué, comme il arrive aux bébés quelquefois. Mais, déjà, dans son regard, avait passé l'anxiété suprême, l'angoisse de se sentir si petit, si frêle encore devant l'inconnu des menaces sombres... Et, en me souvenant de cela, je me représente cruellement bien ce que devaient être la supplication et l'effroi de ce même regard, quand il tendait les bras à son père, « ne voulant pas mourir... »

L'habituelle et naïve confiance en notre protection, qui se lisait dans ses yeux, il semble que nous l'ayons trompée, en le laissant emporter ainsi par la vieille Faucheuse maudite. Son expression à certaines heures, revue si vivante dans ma mémoire, me fait un mal que les mots humains ne peuvent pas dire... Et je crois que l'humilité aussi de sa condition ajoute je ne sais quoi de plus à cette douleur que j'ai de l'avoir perdu : je le pleurerais certainement moins, s'il avait été un petit prince.

– Oh ! il n'a pas été oublié, continue Sylvestre. Tout le monde du quartier est venu, – et il a reçu tant de bouquets, tant de couronnes !...

D'ailleurs, la maison est en profond deuil de lui, la maison où ne s'entendra plus son petit rire, ni son pas menu, ni sa petite voix brusque et charmante.

Il est silencieux, notre déjeuner, ce matin de retour, et Sylvestre, qui reprend ses fonctions pour la première fois depuis les journées affreuses, a les yeux brûlés de larmes en nous servant.

C'est que, pendant tout ce dernier été, Roger venait souvent assister à nos repas, quand nous les prenions ici, dans la salle à manger intime. D'abord on l'entendait passer en trottinant dans la cour, au milieu des rangées de fleurs, très empressé d'arriver ; puis, il paraissait à la porte, souriant et rose, hésitant un peu cependant, avec des yeux qui demandaient la permission d'entrer, comme si déjà, dans sa petite tête, il prenait conscience de n'en avoir pas tout à fait le droit. Alors, on disait : « Oui, entre, entre, Roger Couëc ! » Et il entrait, en faisant le soldat : « Une ! deux ! Une ! deux ! » Et tout le temps du déjeuner, bien que ce ne fût pas très correct, il tournait entre les jambes de son père, l'entravant beaucoup dans son service. Puis, à l'instant du dessert, auprès de mon fils Samuel – son aîné de trois ans, qui l'aimait comme sa plus belle poupée – il s'enhardissait jusqu'à avancer son petit bec confiant pour recevoir une cerise ou une fraise.

Après déjeuner, je m'en vais, sous un ciel gris, au fond de la maison, dans une seconde cour en contre-bas de la nôtre qui est celle des domestiques. Dans ce lieu ordinairement ensoleillé, où l'on descend par quelques marches, il m'était arrivé d'aller tant de fois, sous prétexte de voir à la serre, en réalité pour embrasser Roger Couëc, qui rôdait généralement par là, en robe rose et en cravate de soie chinoise.

Lui, sitôt qu'il m'apercevait, se dépêchait de venir, me prenait par la main pour que je l'emmène avec moi, – et, même les jours où je ne voulais pas de sa compagnie, c'était irrésistible, sa petite voix me rappelant son ardeur à me courir après : sur les marches, un peu hautes pour ses jambes, qui séparent les deux cours, il se mettait à quatre pattes, d'un air affairé, afin d'aller plus vite... Petit être éclos dans ma maison, comme, au printemps, il y naît des hirondelles, comme il y fleurit des roses sur les vieux murs, pour lui ces cours tapissées de branches vertes représentaient le monde ! Quel mystère que ses petites notions sur la vie, que ses petites pensées – retournées à présent au grand abîme noir !...

La première soirée, sur mon sinistre retour.

Chez moi, au-dessus de ma table à écrire, dans un cadre or et rose, – rose comme était la robe, – je viens de placer le portrait du petit Roger. C'est lui-même qui me l'avait donnée, cette photographie ; un jour, on la lui avait mise dans les mains en lui disant : « Va porter ça à Messieu. » Et il était venu, d'un air intimidé mais très fin, me présenter ce petit carton, tenu à deux mains avec une gaucherie exquise, comprenant que c'était sa propre image qu'il m'offrait là.

Maintenant, Sylvestre arrive, m'apportant lavée et repassée de frais, la petite cravate « La Vallière », que je lui ai demandé de me donner. « Je l'avais achetée en Chine, dit-il, du temps où j'étais matelot. » Au cadre du portrait, j'attache cette cravate, nouée avec une branche de fleurs blanches.

L'image, pour un temps, fixera encore cette figure d'ange, qui fut si éphémère, si vite évanouie dans la grande Ténèbre. L'image fera durer quelques années de plus le je ne sais quoi inexprimable de ce regard d'enfant.

Un jour de passé encore.

Au matin gris, en traversant la cour du fond, j'ai la pauvre, petite robe de molleton rose, qu'on avait lavée et qui séchait, suspendue sur une corde, les manches tombantes, et ballantes. Elle va devenir une chose pliée soigneusement, qu'on gardera – jusqu'au jour où, dans des années plus lointaines personne ne se rappellera quel enfant l'avait portée...

Puis, je suis entré chez Sylvestre et j'ai revu là, bien rangés, et tristes sur une étagère, de modestes joujoux que je connaissais : son

9

cheval de bois, sa grande chèvre, qu'il aimait tant, et son fusil pour faire le soldat...

Il avait aussi, je me souviens, un album d'oiseaux coloriés qu'il ne se lassait pas de voir ; en tournant les feuillets, il les désignait l'un après l'autre du bout de son doigt levé et prononçait leur nom, toujours avec sa brusquerie comique. L'autruche, qui sait pourquoi ? l'amusait le plus ; il trépignait de joie et prenait un air de triomphe pour l'annoncer : « Truche ! » dès qu'elle apparaissait.

Chaque infime et insignifiante chose qu'on se rappelle de lui à présent est pour faire souffrir.

Vers midi de ce même jour, un clair soleil perce les brumes du matin, resplendit bientôt au milieu du ciel vide. Avec Sylvestre en deuil, je chemine à travers le cimetière ; dans ces allées, on dirait un temps d'avril.

La voici, la place où il dort, notre petit Roger ; pas encore de tombe faite, mais l'impression, d'un enfouissement d'hier. Cependant, la terre fraîchement remuée, la terre grasse, l'affreuse terre disparaît sous un lit de fleurs : tous les bouquets qui avaient suivi le léger cercueil et qui se fanent à peine.

Donc, c'est là-dessous que la petite figure s'est à jamais cachée, là-dessous que s'est figé le candide petit sourire...

Encore un jour, et c'est le premier dimanche depuis qu'il n'est plus là. Un de ces beaux dimanche d'hiver qui s'éclairent d'un soleil trompeur, qui simulent les temps d'avril, mais qui s'éteignent si vite dans des soirs froids – et qui sont peut-être les plus mélancoliques de toutes les journées.

C'est par de tels après-midi qu'on mettait à Roger Couëc sa belle robe, sa fourrure blanche, son beau chapeau, et que ses parents avaient la joie et l'orgueil de l'emmener à la promenade, où il était le plus rose et le plus joli de tous les bébés endimanchés de la ville.

Aujourd'hui, Sylvestre et sa femme, seuls ensemble, s'en sont allés au cimetière, lentement. Là sans doute, au pâle et trompeur soleil, ils se sont occupés à arranger les bouquets blancs encore frais, sur la petite fosse, sur l'horrible terre. Et maintenant le jour baisse avec des frissons désolés ; l'heure de rentrer vient, l'heure où l'on ramenait au logis l'amour de petit enfant, les joues rougies par le vent du dehors... Ce soir, ils rentreront seuls, les parents ; c'est leur premier dimanche sans leur petit Roger ; ils l'ont laissé là-bas, décoloré et froid sous la terre. Dans leur chambre, quand ils seront de retour, devant le feu qui s'allumera, la petite voix vive et le petit rire délicieux ne s'entendront pas. La robe et le beau chapeau des jours de fête, serrés dans l'armoire, sont devenus de pauvres reliques, que le temps va bientôt démoder et jaunir.

Et à la longue, ils s'accoutumeront à ne plus le voir, leur petit Roger, de même que je me déshabituerai, moi, d'écouter s'il passe dans la cour ou d'attendre, à la porte de la salle à manger, ses petites apparitions soudaines...

Ce jour où il est retombé sur son berceau, inerte après avoir tant souffert, après avoir tant imploré du secours avec ses bras tendus ; oh ! ce jour-là il était bien fauché à jamais et replongé au gouffre... Désagrégée et finie, cette combinaison d'atomes qui avait donné momentanément son petit sourire et l'expression de ses yeux. Au fond de nos mémoires, qui d'ailleurs se désagrégeront aussi, son image bientôt pâlira ; même dans ce minuscule recoin du monde où s'était limitée sa vie de deux ans, on oubliera bientôt qu'il a passé ; les choses, les existences, ici comme ailleurs, continueront leur marche. Et, dans le cours des innombrables destinées, dans la suite infinie des âges, sa disparition sera aussi négligeable et perdue que la mort d'une hirondelle ou que l'effeuillement d'une rose blanche sur nos murs... Mais pourtant, comment dire ma révolte amère, ma pitié infiniment tendre, au souvenir de la vaine supplication de ce petit regard qui s'épouvantait de sa fin ! Comment dire le mal que j'ai de lui, avec, en plus, cette presque puérile angoisse de songer que le cher petit mort ne le saura même pas !...

VACANCES DE PAQUES

I

En ce temps-là tous les mois étaient longs, très longs – et les années, presque infinies.

Les beaux mois de l'été et des vacance duraient délicieusement ; quant à ceux de l'arrière-automne et de l'hiver, empoisonnés par les devoirs, les pensums, les froids et les pluies, ils se traînaient lamentables, avec de stagnantes lenteurs.

L'année dont je vais parler ici, fut, je pense, la douzième que je vis sur la terre. Je la passai, hélas !, sous la férule du « Grand Singe-Noir », professeur de belles-lettres, au collège où je débutais sans le moindre brio... Aussi m'a-t-elle laissé des impressions qui, aujourd'hui encore, me sont pénibles et déprimantes pour peu que j'y concentre mon souvenir.

Et je me rappelle, comme si c'était d'hier, la mélancolie profonde et désolée de ce jour d'octobre qui fut, cette année-là, le dernier des vacances et la veille de la cruelle « rentrée des classes ». J'étais revenu le matin même de passer un temps enchanteur, un temps de liberté et de soleil, chez des cousins du Midi, et j'avais la tête pleine encore des images de là-bas : les joyeuses vendanges parmi les pampres rougis ; les ascensions, sous des bois de chênes, vers de vieux châteaux fantastiques perchés sur des cimes ; les vagabondages imprévus, avec une bande de petits amis dont j'étais le chef indiscuté...Quel changement, mon Dieu ! Arriver ainsi dans ma maison – cependant si aimée – pour voir un été mourir et pour prendre demain une chaîne effroyable !...

Et ce jour-là précisément, sous un ciel tout à coup assombri, des frissons commençaient à passer, m'apportant ces tristesses de l'automne que, dans mon enfance, je ressentais avec une intensité si mystérieuse. De plus, le « Grand Singe-Noir » (de son vrai nom M. Cracheux), qu'il faudrait affronter dans quelques heures, je le connaissais d'aspect, pour l'avoir maintes fois aperçu, en passant avec ma bonne devant la porte morose du collège ; depuis un an, je l'avais flairé, prévu, redouté, et mon dégoût très particulier pour sa personne aggravait encore mes terreurs de l'enfermement inévitable et prochain…

Cette dernière journée, je l'employai d'abord à mettre en ordre, dans mon musée d'enfant, les différents spécimens précieux que j'avais rapportés de mes courses méridionales : papillons extraordinaires, attrapés sur les foins de septembre ; fossiles étonnants, découverts dans les grottes et les vallées. Et puis, seul dans ma chambre, je m'installai sur mon bureau – où il faudrait, hélas ! recommencer à travailler demain – et j'entrepris une œuvre qui m'occupa jusqu'au crépuscule : confectionner un calendrier à ma façon, duquel je déchirerais tous les soirs une page ; préparer, pour les dix mois scolaires, dix petits paquets d'une trentaine de feuillets chacun, avec indication des dates et des jours, – les jeudis et les dimanches, écrits avec des honneurs spéciaux sur papier rose.

Dans la rue, tandis que j'arrangeais cela, des ramoneurs savoyards passaient sous le ciel brumeux, avec leur plaintif appel qui s'entend chez nous à l'automne, comme le glas des beaux jours : « A ramounâ la cheminâ, du haut en ba-âs ! » Et leurs pauvres voix lugubres me mettaient dans le cœur des angoisses infinies.

Cependant ma besogne s'avançait ; j'en arrivais au mois d'avril et au bienheureux jour de Pâques. Sur papier rose, bien entendu, ce jour-là, et inscrit avec des soins tout à fait tendres dans une guirlande de fleurs ! Sur papier rose aussi, les dix jours suivants, qui seraient dix jours de vacances, une trêve délicieuse aux hostilités du « Grand-Singe… »

Quand ce fut terminé, j'ouvris l'armoire de mes jouets, pour clouer là, sur le devant d'une étagère, mes dix mois bien alignés, à commencer par ce sinistre octobre.

En clouant le mois d'avril, je regardais la petite liasse rose des vacances de Pâques, me disant avec un doute découragé : « Est-ce que vraiment il viendra jamais, ce temps qui est si loin de moi ? » Et, comme dans un rêve de chimérique avenir, je me voyais déchirant ces feuilles-là, sur la fin des journées plus longues et plus tièdes où le printemps serait dans l'air...

Le beau mois de mai eut son tour ensuite. Quand j'en arriverai là, me disais-je, l'heure de déchirer la feuille sera claire et charmante avec un ciel tout doré encore par les reflets du couchant, et j'entendrai dans la rue, sous des guirlandes accrochées aux fenêtres, les matelots, les jeunes filles, chanter, et danser les vieilles rondes de mai...

Et juin, quel charme de fleurs, de cerises et de soleil !... Et juillet : l'approche enfin des grandes vacances, l'approche de l'enivrant départ pour chez les cousins du Midi !...

Mais, au fond de quels lointains inaccessibles, ces temps-là m'apparaissent !...

II

Le joug du « Grand-Singe-Noir » fut une chose vraiment terrible, dépassant mes prévisions les plus pessimistes. Quel hiver languissant et pitoyable, mon Dieu, avec des mains toujours tachées d'encre, des devoirs jamais finis et, par suite, une conscience jamais en repos !... Même les jeudis, même les dimanches, il nous accablait, ce vieillard sans entrailles !... Et, pour distraire un peu mes petits camarades de chaîne, je peignais, avec du noir épais, en tête de mes cahiers que l'on se faisait passer en classe, d'énormes singes dans des attitudes variées, pérorant sur des livres classiques – ou bien se grattant...

La race des « Grand-Singe-Noir », à notre époque, tend à disparaître. Mais il en existe encore au fond des provinces, et je voudrais, en passant, ameuter contre eux les petits souffre-douleur qui sont derniers en thème, leur prêcher à tous la révolte contre le fatras qu'on leur impose pour les abêtir et les étioler !...

Cependant, Pâques s'approchait, cahin-caha, et bientôt s'en iraient au vent les derniers feuillets qui masquaient la désirée petite liasse rose.

Mais Pâques était de très bonne heure cette année, et le printemps se faisait prier pour nous venir. Une crainte me prenait déjà que les jours sur papier rose ne fussent que des jours de pluie et d'hiver..

Le dimanche des Rameaux passa, presque sans soleil. Puis, le vendredi saint, voilé de gris, très morne, avec les coups de canon de deuil tirés toutes les demi-heures, dans l'arsenal de la marine, en mémoire de la mort du Christ.

Et enfin, le samedi survint, sombre lui aussi, mais amenant la clôture des cours du Grand-Singe, l'heure adorable de la liberté !...

Elle allait finir, cette dernière classe. Rien qu'un quart d'heure encore !... Et je ne tenais plus sur mon banc.

Plein de méfiance toujours, mon buvard à peine ouvert, j'écrivais en hâte mes adieux pour dix jours à mon ami André, le doyen et le plus homme de nous tous, qui avait, cette année-là, commencé de me prendre en affection, sans doute parce que j'étais au contraire le plus jeune et le plus notoirement enfant. (Nous ne nous voyions jamais qu'en classe, lui étant pensionnaire et moi externe ; encore le Grand-Singe avait-il eu la noirceur de nous placer aux deux bouts de la salle, sous prétexte que nous causions trop, ce qui nous obligeait à nous écrire tout le temps, – en une cryptographie égyptienne, sur des feuillets timbrés d'un singe à l'encre de chine, comme sceau de notre esclavage.)

Plus qu'un quart d'heure, avant le soupir de soulagement final ! Les pieds me brûlaient... Je sentais dans mes jambes comme une démangeaison de sauter par la fenêtre...

– Messieurs, dit tout à coup le Grand-Singe, écrivez maintenant le devoir de vacances que vous aurez à me rapporter de mercredi en huit, à la classe de rentrée.

Un devoir de vacances ! Horreur ! ! Trahison ! Quel vieillard impitoyable !

Nous nous regardions tous, les uns consternés, les autres révoltés et frondeurs.

C'était une narration latine !... Et moi qui ne pouvais déjà pas me tirer des narrations françaises, moi qui restais court sur tous les sujets du Grand-Singe !

J'écrivis, la rage au cœur, d'une écriture volontairement gauche et malpropre.

Il était d'ailleurs inepte, son canevas : Dans un jardin embaumé, où soufflaient des zéphyrs printaniers, un enfant téméraire s'amusait, malgré la défense de son précepteur, à taquiner les abeilles qui butinaient sur les corolles fraîchement écloses... (De temps à autre, des points de suspension, pour indiquer le lieu des développements à introduire.) Finalement le jeune indiscipliné en venait à enfermer, avec le pouce et l'index, l'une de ces intéressantes travailleuses dans le calice d'une campanule…

– Et l'insecte en fureur, dictait le vieux, et l'insecte en fureur, de se débattre… » (remarquez l'infinitif de mouvement) et de piquer les doigts de son lâche persécuteur. (Ceci, messieurs, est la moralité.) Un point, c'est tout.

En m'en allant chez lui, je me répétais cette phrase : « Et l'insecte en fureur… » qui, je ne sais pourquoi, m'exaspérait d'une façon particulière. Et, à l'adresse du Singe Noir, j'ajoutais, avec un grincement de dents : « Vieux sale moineau, va ! »

Tout est convention en ce monde, et « sale moineau » représentait, en style collégien de cette époque, une injure absolument accablante.

Le jour de Pâques, grand 'carillon des cloches d'églises. Dès le matin, dans les rues, mouvement de la foule endimanchée. Suivant un vieil usage, les bonnes gens avaient arboré, pour la première fois de la saison, des costumes de couleur claire, des chapeaux de paille. Mais le ciel restait sombre, le soleil boudeur – et c'était plus triste de les voir tous, dans cet attirail de printemps, marcher vite, avec des airs gelés, en baissant, la tête sous le vent du nord.

En vérité, les avrils ne devraient jamais apporter de déceptions aux enfants qui les ont attendus avec tant de confiance et de ferveur, durant les trois mois interminables de l'hiver…

A partir du lendemain lundi, on exigea que je me misse au travail pendant une heure tous les matins, pour confectionner ce devoir de vacances, pensant bien qu'au bout de deux ou trois jours j'en aurais le cœur net et les mains lavées.

Et docilement je restais dans ma chambre tout le temps voulu, accoudé à mon bureau, avec de l'encre plein les doigts. Mais ça ne venait pas, non… « Et l'insecte en fureur, de se débattre… » Mon inspiration demeurait nulle... J'avais l'idée ailleurs, décidément ; j'avais l'idée au printemps qui se refusait à paraître, l'idée à courir dehors malgré les averses et les rafales.

Et mon cœur s'angoissait de plus en plus à voir se consumer si tristement et si vite les précieuses journées inscrites sur papier rose...

III

Ils fuyaient mes jours de vacances, endeuillés tous par la même pluie froide, par le même ciel noir.

Et je n'en avais plus que cinq devant moi – quand, le vendredi, ma petite amie Jeanne vint avec sa mère m'inviter à passer la journée en sa fine compagnie, dans un jardin qu'elle possédait en dehors des remparts de la ville... Oh ! joie inespérée !...Et précisément il faisait presque beau, plus d'averses, rien que de violentes alternatives de soleil et d'ombre.

Après une semaine d'enfermement sous la pluie, ce fut une surprise délicieusement troublante que de rencontrer dans ce jardin le printemps dont j'avais douté. Elles étaient là tout de même, épanouies à profusion, les jacinthes roses, les anémones trop rouges, les anémones trop violettes, et les touffes de giroflées communes, d'un jaune d'or si magnifique strié de brun ardent ; elles éclataient en couleurs excessives, sous un ciel incertain, où couraient de gros nuages encore chargés d'obscurité et d'hiver. Et un charme indéfini se dégageait pour moi de la présence de toutes ces fleurs, malgré ces frissons de vent et ces menaces de giboulées...

Pendant le retour – forcément mélancolique, parce que la promenade était finie, parce que je voyais de nouveau poindre pour demain matin la narration latine avec l'insecte en fureur – j'insinuai à l'oreille de ma petite amie de venir me chercher encore une fois avant la rentrée si prochaine, ce qu'elle voulut bien me promettre.

IV

Oh ! misère ! il faudrait déchirer ce soir le dernier feuillet des jours en papier rose !...

Et j'étais là, après le déjeuner, peinant sur cette composition latine, guère plus avancée qu'au lundi de Pâques, lorsqu'on m'avertit que la petite Jeanne m'attendait en bas pour m'emmener dans son jardin du faubourg.

Mais mon père survint, qui regarda mon cahier, avec consternation et s'opposa à la promenade :

– Qu'il finisse d'abord sa narration, dit-il ; après, il ira la rejoindre.

Mon Dieu !...Et c'était le dernier jour !... A l'idée de manquer cette occasion, qui ne s'offrirait plus, de passer une après-midi avec Jeanne, dans son grand jardin pourtant si triste, je me sentais en révolte et en désespoir.

Donc, je m'y attelai avec rage, à ce canevas ; j'y introduisis des zéphirs, des papillons, des roses purpurines et des fleurs d'un rouge punique. Puis, j'en arrivai à la phrase presque finale : « Et l'insecte en fureur... » Se débattre, dans mon gros dictionnaire latin, ça se disait : Jactare corpus (jeter son corps de côté et d'autre.) L'expression me paraissant bien énorme pour une abeille, j'ajoutai à corpus l'ingénieuse épithète : tenue (ténu), et, pour maintenir l'insidieux infinitif de mouvement, j'écrivis : tenue corpus jactare, furens.

Ouf ! c'était fini ! Vite ma bonne, pour me conduire là-bas, – car, à ma grande humiliation, je n'étais pas encore jugé d'âge à sortir seul. – Vite, faire ma toilette, laver mes mains noircies jusqu'au coude, et en route pour ce jardin, où Jeanne m'attendait, parmi l'or des giroflées et le rouge punique des anémones. Vite, vite, car il était tard, et le soleil baissait, le soleil de mon dernier jour ! ...

Hélas, au sortir des portes du rempart, dans une allée d'ormeaux qui mène vers la banlieue tranquille, je vis Jeanne qui s'en revenait avec sa mère :

– C'est à cette heure-ci que tu arrives ! me dit-elle d'un petit ton d'ironie. C'est que, tu sais, nous rentrons, nous autres !

Alors, à cette tombée froide du jour, devant la certitude de ne plus revoir, cette année, à cette même saison changeante de printemps, ce grand jardin enclos de murs gris, et ces premières fleurs frileuses, éclatantes de nuances trop vives sous le soleil incertain, il me prit un de ces regrets désolés, une de ces tristesses tout à fait insondables et sans explication possible, dont ma vie d'enfant était tissée – surtout aux heures où s'allongeaient les ombres des soirs.

V

Le lendemain matin, devant nos figures mornes alignées sur les bancs, le Grand-Singe pontifiait en lisant nos produits de Pâques.

Mon tour arriva d'être lu à haute voix par lui... Et, qui s'en serait douté : c'était réussi, paraît-il, ce que j'avais fait !... Même, quand il en vint à la phrase : Tenue corpus jactare, furens, il s'écria d'une petite voix flûtée et grotesque :

– Oh ! que c'est bon, ça !

Eh bien ! c'était complet par exemple ! Avoir enfanté une chose dont se délectait ce vieux singe ! ... Tout confus, je cherchai des yeux mon ami André, dans l'inquiétude de ce qu'il allait penser de moi. – Il m'adressa de loin une petite moue, en baissant la tête et en avançant les lèvres, comme pour me faire honte. Mais son sourire, quoique moqueur, restait bienveillant et affectueux : je compris qu'il ne m'en voulait pas trop d'avoir fait quelque chose d'aussi bien que ça, – et alors, je me sentis consolé, un peu.

INSTANT DE RECUEILLEMENT

Hendaye, 22 novembre 1892

A certaines heures, longuement amenées, spéciales et rares, le caractère des pays tout à coup se dégage pour nous de l'uniforme banalité moderne. Sous nos yeux, une âme sort du sol, des arbres, des mille choses : l'âme antique des races, qui dormait, affaiblie par le grand mélange universel, et qui, pour un instant s'éveille et plane…

Aujourd'hui 22 novembre, tandis que je suis là seul, à ce point extrême où finit la France, assis sur ma terrasse qui regarde l'Espagne, l'âme du pays basque pour la première fois m'apparaît.

Nos contrées d'Europe, hélas ! de plus en plus se ressemblent toutes. Ainsi, depuis un an je l'habitais, cette Euscalerria, sans y avoir découvert rien de bien particulier, sans m'être aucunement aperçu que je m'y attachais.

Mais sans doute un lent travail s'était fait en moi-même, une lente pénétration par des effluves basques, et j'avais été préparé insensiblement à comprendre et à aimer.

Aujourd'hui, c'est le jour de l'Adoration perpétuelle, et les vieilles églises d'alentour, tant espagnoles que françaises, sont plus remplies encore de cierges qui brûlent et de cœurs naïfs qui prient. Il fait idéalement beau ; sur la Bidassoa, sur les Pyrénées, sur la mer, partout règne le même calme infini. L'air immobile est tiède comme en mai, avec pourtant cette insaisissable mélancolie de l'arrière-automne, indiquant à elle seule que l'année s'en va.

La mer, au loin, luit comme une bande de nacre bleue. Il y a des teintes méridionales, presque africaines, sur les montagnes qui se découpent au ciel avec une netteté absolue, et qui sont vaporeuses cependant, noyées dans je ne sais quoi de diaphane et de doré. La Bidassoa, à mes pieds, inerte et lisse, reflète et renverse avec une précision de miroir le vieux Fontarabie d'en face, son église, son château fort, roussis par des centaines d'étés ; reflète et renverse toutes les arides montagnes avec leurs moindres plis et leurs moindres ombres, même leurs plus petites maisonnettes, çà et là éparses, blanches de chaux sur ces grands fonds roux. Là-haut en l'air, ou bien en bas tout au fond du miroir trompeur, les plus lointaines cimes ont une pureté égale. L'immobilité des choses et l'éclat lumineux des teintes donnent à cette côte espagnole un peu de la tristesse ensoleillée du Maroc ; aujourd'hui, du reste, on sent l'Afrique presque voisine, – comme si les limpidités de l'atmosphère, qui atténuent les distances visibles, avaient eu le pouvoir aussi de la rapprocher de nous.

Et ce grand calme silencieux de tout, cette tranquillité inaltérée de l'air, cette immobilité des lumières douces et des grandes ombres nettes, me donnent d'abord l'impression d'un temps d'arrêt dans le mouvement vertigineux des siècles, d'une réflexion, d'une immense attente, – ou plutôt d'un regard de mélancolie jeté sur le passé, sur l'antérieur des soleils, des êtres, des races, des religions...

Et, dans le vide sonore, de temps à autre tintent les antiques cloches d'église, appelant, mieux les hommes aux cultes défunts, pendant ces recueillements étranges ; Fontarabie, Hendaye, les couvents de moines, sonnent, sonnent, appellent, avec les mêmes timbres vieillis, les mêmes voix qu'aux siècles d'avant.

Sur la Bidassoa, des barques d'allure lente, passent d'une rive à l'autre, traînant après elles de longues rides alanguies, dérangeant par places les images renversées de Fontarabie et des brunes montagnes. Des marins et des contrebandiers qui les montent – figures rudes, imberbes à la mode basque, têtes coiffées du traditionnel béret noir – causent en leur langue tant de fois millénaire, ou bien chantent, en fausset nasillard, comme les Arabes, les airs des ancêtres.

Et, dans les sentiers d'alentour refleuris par ce merveilleux automne, entre les haies garnies comme au printemps d'églantines, de troènes et de chèvrefeuilles, les femmes et les jeunes filles se promènent, allant d'une église à l'autre, vêtues surtout de noir, l'épaisse mantille noire abaissée sur le front, comme c'est l'usage ici quand on va prier pour soi-même ou pour les êtres évanouis dans la terre des cimetières…

Alors, tout à coup, tandis que je suis là seul devant ce décor que semble endormir le morne soleil, écoutant sonner les vieilles cloches on vibrer dans le lointain les vieilles chansons, je prends conscience de tout ce que ce pays a gardé au fond de lui-même de particulier et d'absolument distinct. De l'ensemble des choses et des êtres ambiants se dégage, aux yeux de mon esprit, comme une essence vivante ; pour la première fois, je sens exister ici un je ne sais quoi à part, mystérieux, – destructible, hélas ! mais encore imprégnant tout et s'exhalant de tout, – sans doute, l'âme finissante du pays basque…

Cependant voici que, là-bas derrière moi, quelque chose de laid, de noirâtre, de tapageur, d'idiotement empressé, passe, vite, vite, ébranle la terre, trouble ce calme délicieux par des sifilets et des bruits de ferraille : le chemin de fer !… Le chemin de fer, plus niveleur que le temps, propageant la basse camelote de l'industrie et des idées modernes, déversant chaque jour, ici comme ailleurs, de la banalité et des imbéciles.

A LOYOLA

I

Mercredi 25 octobre 1892

Vers le soir, au baisser du soleil, l'express de Saint-Sébastien à Madrid nous dépose, mon compagnon basque et moi, dans une ville appelée Zumarraga, où il nous faut séjourner une heure, en attendant la voiture que l'on prépare pour nous mener au pays de saint Ignace.

Temps tiède de l'automne méridional, avec partout la mélancolie des feuilles rousses. Inévitablement cela est triste, d'être à errer, à la tombée d'un crépuscule d'octobre, dans une toute petite ville isolée, inconnue, très vieille, où se parle une incompréhensible langue, et que de hautes montagnes entourent...

Nous errons sans but. A une fenêtre, dans une étroite rue noire, un pauvre perroquet du Brésil cause tout seul :

– Je parie que, lui aussi, parle basque, dis-je à mon compagnon de voyage.

– Oh ! c'est probable ! répond-il – et il écoute :

– Oui, en effet, continue-t-il en riant, je l'entends dire Jacquo ederra ! (Jacquot joli !)

Pour la dixième fois, nous voici revenus à la place de l'Eglise. Une grande place carrée, que bordent des maisons vieilles, à l'abandon, en ruine, avec des toits saillants aux balcons sculptés et des blasons sur les murs. L'église, qui forme une des faces de ce lieu, est d'un brun rougeâtre, lézardée, effritée par le temps. Et alentour, pour enfermer tout cela, de hautes montagnes abruptes, des mêmes pierres et du même rouge que l'église, montent dans le ciel d'octobre qui s'éteint.

Sur cette place, il y a une fontaine de marbre, où des jeunes filles viennent de temps à autre puiser. Il y a aussi une statue neuve, dont le marbre se détache très blanc sur le fond sombre des autres choses : un vieillard à tête d'illuminé qui tient une guitare, l'étrange Yparraguire, qui fut musicien ambulant, compositeur de chants patriotiques séditieux et de chants d'amour. Une inscription, en cette langue millénaire que les étrangers ne réussissent jamais à bien entendre, indique que c'est là un hommage du pays basque au dernier de ses bardes. Vraiment il est encore spécial, encore lui-même, ce peuple euscarrien : ni la France ni l'Espagne n'ont réussi, après tant de siècles, à se l'assimiler complètement…

Dans le lointain, une flûte criarde commence à gémir, et un tambourin l'accompagne sur un rythme saccadé un peu arabe. Cela se rapproche ; c'est une noce qui nous arrive, oh ! une bien humble petite noce, défilant très vite, courant presque, au son de cette musique.

Sur la place, le petit cortège s'arrête, pour danser, dans les envolées de feuilles mortes que le vent soulève. Ils sont une quinzaine en tout, et il n'y a d'abord que nous deux pour les regarder. La mariée, très jeune et jolie, est la seule qui porte un costume au goût du jour, les manches à gigot et la jupe 1830 qui sont la dernière création de 1892. Le tambourin et la flûte leur jouent un air rapide et sauvage, un de ces airs basques à cinq temps qui déconcertent toutes nos notions sur les rythmes, et ils commencent tous ensemble une danse extrêmement compliquée, mêlée de sauts et de cris, – une très vieille danse dont la tradition sera bientôt perdue.

Deux ou trois filles arrivent, avec des cruches sur la tête, pour puiser à la fontaine ; alors le marié, – qui a une figure de dix-huit ans, – s'en va les inviter à danser aussi. Des enfants accourent, quelques oisifs s'approchent, un petit rassemblement se forme, rendant moins triste cette fête de pauvres gens, à cette tombée de nuit, au milieu de ce cadre désolé.

Et, dans la rue, des paysans, pour regarder aussi, arrêtent leurs lourds chariots à bœufs qui passaient, en roulant bruyamment sur des disques de bois plein, comme des chars antiques.

A cinq heures, on nous amène là notre voiture, qui est cependant prête : une espèce de cabriolet, à capote de toile cirée, avec deux chevaux attelés en flèche qui ont au cou une quantité considérable de clochettes.

Tout de suite nous sommes dans la campagne, et bientôt dans la nuit noire, – nuit tiède comme en été. Une heure et demie de route, grand train, dans des vallées, dans des gorges sinueuses, longeant des torrents que nous ne voyons pas, mais que nous entendons bruire malgré nos clochettes tout le temps agitées. Un vent du midi, très doux, nous jette sans cesse des feuilles mortes au visage.

On nous arrête enfin devant les porches d'une fonda monumentale. Nous sommes arrivés. De l'autre côté de la route, l'immense couvent de Saint-Ignace surgit, – masse obscure dans de l'obscurité. Aucune maison aux alentours ; la fonda et le couvent, à Loyola il n'y a pas autre chose.

La fonda est très ancienne, avec des escaliers et des rampes de fer forgé comme dans un palais. Ainsi que dans toutes les auberges d'Espagne, on y sent dès l'entrée l'âcre odeur des mets et de l'huile. Les gens n'y comprennent, ni le français, ni l'espagnol, rien que la langue de la patrie, le basque. A table, il n'y a qu'un vieux prêtre et nous ; mais dernièrement, paraît-il, quand on a élu le nouveau général des Jésuites, toutes les grandes salles étaient pleines ; il y avait des voyageurs venus de partout, même du fond de la Pologne et de la Russie.

La fonda est presque un lieu saint ; des images de piété sont accrochées à tous les murs, et, le long des escaliers, des écriteaux défendent aux personnes qui montent « de jurer ou de blasphémer ».

II

Jeudi 26 octobre.

A Loyola, quand j'ouvre les yeux, je vois filtrer à travers mes contrevents de longs rayons de lumière. La grande chambre où j'ai couché est blanchie à la chaux, très nue, presque vide, avec des images de saints et des bénitiers accrochés aux murs. Toute la nuit, j'ai entendu sonner au couvent des cloches singulièrement argentines et bruire dans la campagne les eaux d'un torrent. Ce matin, c'est la voix d'une servante de la fonda qui me réveille, en chantant dans l'escalier un air basque à cinq temps, un air de cet Yparraguire dont j'ai vu hier la statue à Zumarraga, sur la petite place triste.

J'ouvre mes fenêtres au clair soleil. C'est le merveilleux matin d'un octobre méridional. Sans ces teintes rouges et dorées des arbres, sans ces feuilles mortes sur l'herbe, on dirait la chaude splendeur d'août. Le site est très particulier, admirablement choisi : une petite plaine unie, – la seule qu'on trouverait à bien des lieues à la ronde dans ce recoin tourmenté du pays basque ; une plaine fertile comme un jardin, traversée par un frais torrent, et mystérieusement murée, presque surplombée par, des hautes montagnes sauvages, qui la séparent du reste du monde. Le torrent fait son bruit léger dans le silence d'alentour et un calme pastoral plane sur toute cette région exquise.

Cependant le couvent de Saint-Ignace, nid des Jésuites, est là devant moi, qui trône en maître souverain, immense et superbe dans cet isolement. Il forme une masse imposante, grise et morne, d'un aspect très spécial, d'une magnificence très surprenante, au milieu de ce pays si perdu, resté si humble et si primitif. La chapelle est au centre de la grande façade, qui lui fait de chaque côté comme deux ailes un peu sinistres ; son dôme s'élève dans des proportions grandioses de basilique ; son péristyle s'avance en rotonde somptueuse, tout en marbre, porche et piliers de marbre noir blasonnés de marbre blanc ; l'escalier de marbre qui y mène est monumental, compliqué, orné de lions et de statues. Et, en avant, rien que des parterres de chrysanthèmes, des allées paisibles taillées en charmille d'autrefois ; détail étrange, aucune défense, même aucune clôture ; tout de suite après, la campagne, les champs, les sentiers où des paysans passent.

De sombres pensées s'associent d'elles-mêmes à ce nid du Jésuitisme et de l'Inquisition ; en regardant ce couvent de Loyola, dont le nom seul a je ne sais quoi d'oppressant, on ne peut se tenir de songer à tant de cruelles et implacables choses, qui jadis furent décrétées à voix basse derrière ces murs – et puis exécutées, au près ou au loin, toujours dans l'ombre et sans merci. Cet immense et opulent édifice, avec son architecture lourde, son air dominateur, caché dans ces montagnes, a bien la physionomie qui convient à la grande Jésuitière originelle. Cependant ces alentours si confiants, ces jardins ouverts à tout le monde, ces fleurs qu'une simple haie ne défend même pas, donnent déjà à l'ensemble un abord hospitalier que l'on n'avait pas prévu. La règle de cet ordre est certes la plus étonnante déformation du christianisme qui jamais soit sortie des cerveaux humains, et, autant il y a de douceur persistante, de douceur quand même autour du nom de Jésus, autant ce mot de Jésuite, qui en dérive, reste inquiétant, glacial et dur…

Au milieu même des allées en charmille, familièrement circulent des laboureurs. Des chars à bœufs passent aussi, de ces chars dont les roues en bois plein, à la mode romaine, font ce gémissement particulier qu'on entend sur toutes les routes du pays basque ; ils sont remplis à déborder de pommes à cidre, rouges ou dorées, qui laissent dans l'air tiède des traînées de senteurs ; ils sont menés par des paysans quelconques, qui chantent, sans se gêner, sous les hautes fenêtres grises, les chansons joyeuses du vieux temps. Vraiment, autour de la Jésuitière, tout a un aspect de bien-être, d'abondance, de paix, de sécurité profonde.

Nous quittons la fonda pour descendre, au gai soleil, nous promener dans les parterres du couvent morose. Voici qu'une des portes s'ouvre : c'était celle de l'école, à ce qu'il paraît, car une trentaine de petits garçons s'en échappent, sautillant, criant, et un vieux bonhomme, en robe noire de l'ordre, se hâte de fermer au-dessus de leurs têtes les contrevents du premier étage – afin de leur permettre de jouer au traditionnel jeu basque, à la pelote au mur, sans risquer de casser des vitres. Ils jouent quelques minutes, les petits, leur gaîté enfantine détonnant très gentiment auprès de ces murailles sombres ; ensuite, ils se dispersent dans la campagne, et le silence revient, le grand silence des champs ; plus personne ne passe ; aux approches de midi, un soleil de plus en plus chaud éclaire les parterres de chrysanthèmes et les pompeux escaliers de marbre.

Tandis que je monte à cette chapelle par ces belles rampes solitaires, admirant ces somptueux portiques, ce site incomparable et ce ciel bleu, j'éprouve bien, tout au fond de moi-même, une répulsion instinctive, peut-être une vieille rancune de huguenot, en face de cette Compagnie de Jésus. Ce n'est pas que j'ajoute foi, bien entendu, à tout le mal dont certains passionnés l'accusent, – et, d'ailleurs, qu'importerait qu'elle eût commis des crimes : une institution humaine ne doit être jugée que d'après la quantité d'enthousiasme qu'elle a suscité dans les âmes, d'après la quantité de consolation ou d'illusion berçante qu'elle a su répandre sur le monde… Mais cette Compagnie de Jésus, qui ne sait qu'anéantir ceux qu'elle engouffre dans son sein sévère, non, je la trouve incompréhensible et inquiétante, avec l'impersonnalité farouche qui en est la base ; je la trouve un peu terrible aussi, avec sa puissance presque sans bornes, aux agissements toujours ténébreux…

Les grandes portes de la chapelle, sculptées luxueusement du haut en bas et garnies d'ornements de cuivre, sont si bien frottées, si bien vernies, qu'elles brillent, malgré leur vieillesse, d'un éclat neuf. Aucune église n'a des portes entretenues avec un soin pareil. Dès l'abord on en reçoit une impression de richesse, de persistance et de durée.

Personne… Nous essayons de pousser doucement un des battements sculptés, qui cède et s'ouvre ; il semble même qu'il n'y ait rien pour le tenir fermé. Et alors la splendeur du dedans nous apparaît.

Une immense église ronde. Au milieu, une colonnade circulaire, massive, puissante, en marbre presque noir rehaussé de très minces filets d'or, soutenant un dôme d'une couleur beaucoup plus claire, tout de marbre gris et de marbre rose. Il est décoré, ce dôme, par une série de gigantesques blasons de marbre, gris et or, rangés en cercle. Chacun de ces blasons est posé sur un manteau royal, également en marbre, dont les plis semblent retomber ; le dessus des manteaux est de marbre rose très pâle, et le dedans – la doublure, si l'on peut dire – est de marbre rose très vif ; l'ensemble a un brillant de porcelaine. Et, au-dessus de chacune des colonnes noires qui soutiennent le dôme rose, est posée une statue blanche, se détachant sur les beaux manteaux éployés ; toute une compagnie de personnages, d'une neigeuse blancheur, est là-haut, alignée en rond, dans des attitudes de recueillement et de prière.

Au fond de l'église, face à l'entrée, est la merveille du sanctuaire, le maître-autel, entièrement fait d'agate brune, avec mosaïques en pierres rares de différentes couleurs où le blanc domine. Autour de ses grandes colonnes torses en agate, s'enroulent comme des spirales de ruban les mosaïques prodigieuses. Tout son ensemble, d'un poli irréprochable, brille comme l'intérieur des coquilles marines. Au milieu, pose une statue de saint Ignace, de taille humaine, en argent repoussé et ciselé.

Autour de la rotonde centrale, dans les bas-côtés qui sont de marbre brun et de marbre gris, les différents autels secondaires sont ornés de statues presque toutes remarquables, dont les vêtements dorés ont cet éclat particulier que prend l'or sur le marbre.

Nulle part aucune surcharge ; partout une sobriété sévère dans la magnificence ; partout les teintes naturelles et le poli des marbres sombres ; l'or employé avec une discrétion extrême, en filets légers, en minces broderies sur les robes des saints et des saintes ; mais toujours de l'or vif, bruni, étincelant.

Et ce lieu tout entier est maintenu dans une fraîcheur presque neuve, – sous laquelle pourtant, se devine la vieillesse des choses. Tout ici est brillant et sans trace de poussière, même les dalles sonores sur lesquelles nous marchons. Pas une église au monde ne saurait témoigner d'un entretien pareil, et ce soin excessif donne à lui seul la mesure de l'opulence de la Compagnie.

Toujours personne. Nous sommes entrés, sans qu'on ait pris garde à nous, par une porte continuellement ouverte. Ce silence, cette solitude, dans cette splendeur qui semble à peine religieuse, et l'apparition soudaine de ce lieu au sortir des campagnes environnantes, tout cela, par ce tranquille matin, est pour faire songer aux palais enchantés qui, sous le coup des baguettes magiques, peuvent s'évanouir...

D'une façon générale, je les trouve bien étranges, bien inexpliquées au point de vue purement humain, ces magnificences des couvents et des églises, qui ont coûté la fortune de milliers d'êtres différents, et qui sont impersonnelles, dont les créateurs n'ont même pas joui plus que le voyageur de hasard qui, des centaines d'années après, vient à passer...

Après la chapelle, nous voudrions visiter l'intérieur du cloître, et, revenus dans le parterre de chrysanthèmes, nous demandons à des paysans, qui sont là, comment faire, où frapper, par où entrer.

– Oh ! disent-ils, par où vous voudrez, toutes les portes sont bonnes, puisqu'on laisse entrer partout.

Et ils poussent la première porte venue, qui s'ouvre devant nous toute grande.

Un peu hésitants, nous montons, toujours sans rencontrer personne, jusqu'à un deuxième étage, – et là nous apparaît une salle étonnante, qui ressemble à quelque petite pagode asiatique ou bien à la chambre d'une fée.

Extraordinairement basse de plafond, elle a d'énormes solives que l'on toucherait de la main et dont chacune est une guirlande de feuilles d'acanthe précieusement dorées. Toutes ces solives qui se répètent, également magnifiques, extravagantes de surcharge ornementale, jusqu'au fond de ce lieu étrange, forment dans leur ensemble comme une tonnelle de feuillages d'or. Et cette salle est coupée en deux par un grillage d'or, au-delà duquel sont allumées, devant des reliquaires d'or, deux lampes religieuses dans des globes semblables à des fleurs roses. Tout est brillant, de cet inimitable éclat doux des ors plus épais d'autrefois, et une exquise odeur d'encens remplit l'air...

Cependant, voici que, dans une porte, un petit judas s'entrebâille, par lequel deux yeux nous regardent ; puis cette porte s'ouvre, et un jeune homme de dix-huit à vingt ans, au charmant visage, en robe noire de Jésuite, un plumeau sous le bras, un balai à la main, nous fait signe d'entrer, en souriant.

Il est dans une vieille chambre somptueuse, tendue de brocart rouge, dont les meubles sont d'or et de marqueterie de marbre, et il s'occupe à épousseter là des reliquaires

Il nous demande si nous sommes français. Mon compagnon de voyage, qui croit deviner en lui un homme de sa race, répond en euscarrien.

– Ah ! oui, reprend le frère ; vous êtes des Français, mais des Français-Euscualdunac ! (des Français-Basques !)

Il semble sous-entendre : « Alors, vous l'êtes si peu, français ! Dites donc plutôt que nous sommes compatriotes ! » et il devient plus accueillant encore.

Il nous explique que c'est ici la propre chambre d'Ignace de Loyola, dont l'entretien est confié à ses soins. Ces os, aujourd'hui incrustés de pierreries, et ces vieilles étoffes qui remplissent les reliquaires, sont les débris de la personne et des vêtements du grand saint.

Si nous voulons visiter le couvent, nous dit-il, – toujours avec cette même absolue confiance qui semble être ici dans l'air, – nous n'avons qu'à redescendre au rez-de-chaussée, tourner à droite, puis à gauche, frapper à la deuxième porte ; nous trouverons là des pères qui se feront un plaisir de nous promener partout.

Nous allons donc frapper à la porte indiquée. Un frère portier, après nous avoir regardés par un judas, nous ouvre, en souriant, lui aussi, comme le jeune frère basque d'en haut.

Il nous introduit dans un grand parloir clair. Certainement, dit-il, on nous fera visiter tout ce que nous désirerons. On va même nous choisir pour guide un père français, si nous voulons bien prendre la peine de nous asseoir et d'attendre un moment. Impossible de souhaiter maison plus hospitalière, hôtes plus aimables.

Il arrive bientôt, la main tendue, le père désigné pour nous conduire. Sa figure est bonne et, franche ; ses yeux regardent bien en face ; rien de ce qu'on est convenu d'appeler l'air Jésuite. Il est cordial, et gai.

Le couvent, où il nous promène sans fin, est immense ; un vrai labyrinthe, dans lequel, dit-il, les jeunes novices souvent perdent leur chemin. Avec ses murs blancs et sa nudité, il ressemble à tous les couvents possibles. Ses interminables couloirs sont bordés de petites cellules qui regardent la tranquille et sauvage campagne d'alentour ; sur chacune d'elles, en haut de la porte, est écrit le nom du père qui l'habite. Beaucoup de noms français, des noms anglais, des noms russes : la Compagnie de Jésus étend partout sa puissante main cachée.

Mais la merveille du lieu, c'est le vieux château féodal de Saint-Ignace – où le hasard nous avait fait entrer d'abord. C'est un de ces petits nids de vautour, du moyen âge espagnol, aux murs archaïques faits de pierres et de briques rouges bizarrement agencées. Il est englobé, serti comme un joyau précieux, dans l'immense et redoutable couvent issu de lui ; on le respecte si religieusement que, dans les salles à lui adossées, quelle qu'en soit la décoration intérieure, on a laissé en pierres brutes, tels quels, tout de travers parfois, les pans de muraille qui lui appartiennent. Sa vieillesse extrême fait paraître presque jeunes les constructions déjà si âgées qui l'entourent ; sa petitesse paraît plus étonnante au milieu de ce monastère de proportions gigantesques : on dirait un joujou, un château fort construit jadis pour des enfants. Des lampes sacrées et des parfums y brûlent nuit et jour partout. Les Jésuites, qui se sont succédé là depuis des siècles, ont pris en sainte tâche de l'orner du haut en bas ; il y a des chapelles et des dorures jusque dans ses petites écuries. La salle, plafonnée de feuillages d'or comme une pagode, que nous avions vue en arrivant, est l'ancienne salle d'honneur du château, – fort modeste autrefois sans doute, – dont on a respecté les grosses solives basses, en les recouvrant avec tant de luxe, comme on mettrait une relique dans une châsse d'or.

Loyola est situé entre deux vieilles petites villes basques très voisines, Aspeïtia et Ascoïtia, toutes deux typiques, immobilisées depuis longtemps sans doute, avec leurs sombres maisons aux balcons de fer forgé, avec leurs petites boutiques, leurs petits métiers. Toutes deux ont des églises, sanctifiées comme Loyola par le passage terrestre de saint Ignace, et qui, même en Espagne, sont d'une richesse d'ornementation inusitée. A Aspeïtia, derrière le maître-autel, depuis les dalles jusqu'à la haute voûte, tout est revêtu des plus délicats feuillages d'or, sculptés profondément en plein bois avec une patience chinoise.

Dans ces deux villes, sur lesquelles darde aujourd'hui un lourd soleil d'automne, la principale industrie paraît être la confection des alpargates (espadrilles) et des avarcac (chaussures basques en peau de mouton qui s'attachent, à l'antique, par des cordelières le long du mollet).

A Ascoïtia surtout, c'est comique : tout le long des, rues, sur les trottoirs étroits, une file ininterrompue d'alpargatiers, travaillant tous avec une précipitation fiévreuse. On dirait que l'univers entier, pieds nus, attend avec avidité l'achèvement d'une commande gigantesque d'alpargates. Ces gens cousent, tapotent avec frénésie et les semelles de cordes s'empilent autour d'eux en petites montagnes...

La même carriole, qui nous a amenés hier dans l'obscurité noire, nous reporte aujourd'hui à Zumarraga par un beau et chaud soleil. Nous croisons des quantités de pesants chars à bœufs, remplis de pommes parfumées, qui cheminent avec lenteur, grinçant sur leurs roues massives. Nos chevaux couverts de clochettes s'en vont galopant sur une continuelle jonchée de feuilles mortes, par les petites vallées délicieuses, le long de ces frais torrents que nous n'avions fait qu'entendre pendant notre premier trajet nocturne…

L'ALCALDE DE LA MER

La grande salle de la mairie de Fontarabie délabrée, vide, solennelle, attestant, comme la ville entière, qu'ici le passé fut presque somptueux. Au fond, sous une sorte de dais en vieux brocart, un portrait de la Reine régente. Des bancs et des fauteuils, bien rangés le long des murs.

Nous sommes là trois ou quatre qui attendons. Les contrevents restent fermés, nous laissant dans une demi-nuit, – à cause des mouches.

– Dans un moment, dit l'alcalde (le maire) de la ville, sitôt que finiront les vêpres, ils vont venir.

On entend, dans le silence du dehors, un petit turlututu de flûte basque, plaintif et étrange comme une musique arabe. Il fait étouffant, et on a conscience, malgré cette pénombre voulue, que le grand soleil de juillet flambe au ciel, surchauffe tout cet amas de vieux bois et de vieilles pierres qu'est Fontarabie.

Nous sortons sur l'antique balcon de fer forgé, pour voir s'ils viennent. Alors, au-dessous de nous se découvre la rue, la « Calle Mayor », étroite, où le soleil ne descend guère, encaissée entre des maisons du moyen âge. Elle est en pente rapide, terminée en bas par une porte en ruine, et comme fermée en haut, comme murée par la masse sombre de l'église. Décor de l'Espagne d'autrefois, demeuré extraordinairement intact ; toitures aux chevrons sculptés, très débordantes pour faire plus d'ombre ; blasons magnifiques, en relief sur les murs de pierre rousse ; balcons de fer forgé qui s'étagent les uns au-dessus des autres, garnis de pots de fleurs, égayés partout de géraniums et d'œillets. Quelques têtes espagnoles se montrent aux fenêtres, regardent du côté de l'église, attendent comme nous ce cortège qui va venir. Une curiosité commence d'animer la rue morte.

Des cloches, tout à coup ! Des vibrations descendent de l'église si voisine, emplissent l'air tranquille et chaud : les vêpres sont finies.

Les habitants sortent des vieilles maisons obscures, garnissent les balcons et les portes, se penchent, regardent. Et cinq ou six prêtres, les offices terminés, se joignent à nous dans la salle, viennent nous saluer, l'air naïf et bon.

Enfin, au loin s'entend le tambour. Ils arrivent !

Du bout de la rue, du tournant qui paraît la finir, débouche un cortège. En avant du mur farouche de l'église, qui est le grand fond de ce tableau, les gens un à un apparaissent. D'abord des musiciens en béret rouge, jouant une marche vive et gaie. Derrière eux, une femme qui semble être, dans ce défilé, le personnage principal ; une femme aux allures de déesse, superbement cambrée, grande, drapée à la mode d'Espagne dans un crépon de Chine blanc ; elle s'avance d'un pas rapide, un peu dansant, que rythme la musique, et, avec ses bras levés, arrondis comme des anses d'amphore, elle maintient sur sa tête un coffre énorme. Vient ensuite un garçon, tenant une grande bannière rouge ornée d'un écusson bleu. Puis, un groupe de figures brunies, coiffées du traditionnel béret basque : les pêcheurs, toute la confrérie des pêcheurs de Fontarabie, qui arrivent de là-bas, du quartier de la marine, pour la solennité annuelle du renouvellement de leur alcalde.

L'alcalde de la Mer, chef de la confrérie des pêcheurs, est élu tous les ans, au suffrage restreint, et, depuis le moyen âge, la remise de cette charge se fait, à l'ardent soleil de juillet, avec un cérémonial immuable.

Ils ont descendu la « Calle Mayor » en musique et maintenant les voici montés dans la grande salle de la mairie où tout le monde prend gravement place : l'alcalde de la ville au centre, sous le dais à ses côtés, les deux officiers de marine, l'un Français, l'autre Espagnol, qui commandent sur la Bidassoa ; puis, les deux alcaldes de la Mer, l'ancien et le nouveau ; puis les prêtres, et enfin tous les pêcheurs.

Et la bannière rouge, vieille de quatre siècles, a été montée elle aussi ; ses broderies de soie, très archaïques, représentent des scènes de la pêche à la baleine, et des saints auréolés qui marchent sur les eaux agitées. On l'assujettit au balcon de fer pour que, durant la cérémonie, elle flotte au-dessus de la rue.

Devant les alcaldes, on ouvre le coffre apporté par la belle fille brune, car il contient le trésor de la confrérie qui doit être vérifié : un large parchemin couvert d'écriture gothique, accordant les bénédictions très particulières du pape Clément VIII ; un christ d'argent, un reliquaire d'argent, un calice d'argent, des ciboires d'argent, et des cannes pour les chefs, en fanons de baleine à pomme, d'argent (car la confrérie, qui ne pêche plus que des thons et des sardines, fut fondée aux temps lointains où les baleines venaient encore se faire prendre dans le golfe de Biscaye).

Ils sont intacts, tous ces vénérables objets que l'on se repasse de main en main depuis des siècles.

On va donc à présent lire à haute voix les comptes de la communauté, en cette langue, millénaire et d'origine si inconnue, que les étrangers au pays basque n'arrivent jamais à comprendre : tant pour les œuvres, tant pour les secours, tant pour les messes de bon voyage et les messes de mort...

Cela est écouté attentivement par tous ces pêcheurs alignés autour de la salle. Matelots issus, depuis des générations sans nombre, d'aventuriers de mer, vivant sur les hautes lames dangereuses du golfe de Biscaye. Figures durcies, hâlées, tannées, rasées soigneusement comme des figures de moines. Un peu rapaces, tous un peu pillards, obstinés à venir, malgré les lois, jeter leurs filets dans les eaux françaises, jusque sur nos plages, mais braves gens quand même et marins si hardis !...

C'est terminé, cette vérification, et on va s'amuser un peu. En bas, du reste, une grande rumeur s'élève dans la rue, qui s'est beaucoup peuplée : c'est qu'on amène le taureau !

Il arrive à contre-cœur, ce taureau-là, tenu par la tête à une pièce de bois que tire une paire de bœufs accouplés ; le lien qui l'attache est assez long pour qu'il puisse labourer de coups de cornes le derrière des bêtes qui le traînent, et cet équipage difficile à mener s'avance avec des à-coups, des arrêts, des sauts et des ruades.

Sous les hauts porches de la mairie, la fanfare de cuivre alterne avec l'orchestre basque : petites flûtes et tambourins jouant les vieux airs à cinq temps, dont le rythme est pour dérouter nos oreilles et dont on ne sait plus l'âge.

Cependant, le taureau, aux cornes emmaillotées, délivré à présent de son attelage, a été attaché à un pilier de pierre, par une interminable corde qui lui permet de balayer toute la rue. Et le voilà, affolé et hébété, fonçant au hasard sur les passants qui l'appellent et qui se dérobent toujours. Et ce sont des bousculades, des portes refermées en coup de canon, des galops sur les pavés, qui glissent, des fuites, des chutes, des cris d'effroi et des éclats de rire…

La course achevée, le cortège des pêcheurs se reforme pour s'en retourner au quartier de la « marine », où un repas de gala est servi chez le nouvel alcalde de la Mer.

En tête, la musique, tambourins et flûte. Puis, la grande belle fille porteuse du coffre sacré, qui reprend la cadence de sa marche et son balancement de hanches sous son crépon blanc. La bannière ensuite ; les alcaldes, les deux officiers et les prêtres. Enfin les pêcheurs et la foule qui les accompagne, toujours plus nombreuse.

Cela défile joyeusement et vite, dans le décor un peu funèbre, dans la triste rue aux maisons si hautes et si blasonnées.

Et, après le tournant de l'église, cela sort tout à coup de l'étouffement de Fontarabie pour descendre vers cette « marine » par une rampe qui surplombe tout le fond du golfe de Biscaye, les Pyrénées, les côtes de France et d'Espagne, l'infini de l'Océan bleu, dans une splendeur de lumière.

Là-bas, sur la plage, s'ouvre la modeste petite maison du nouvel alcalde de la Mer, entourée à la mode basque de platanes taillés en voûte. A l'arrivée du cortège, on plante à la porte la sainte bannière et l'on va remiser le précieux coffre au fond d'une alcôve, sous un lit.

Un couvert de fête, très naïvement dressé, avec de gros bouquets, occupe là une salle étroite et basse, dont les solives sont proches et oppressantes comme à bord des navires. Sur les murailles peintes à la chaux blanche, rien que des images du Christ, de la Vierge, des saints qui protègent les hommes de mer.

Dans ce lieu, chaud comme une étuve, où entre pourtant un peu de la brise du large, on s'assied à se toucher, on s'entasse, alcaldes, officiers, prêtres et plus notables pêcheurs, tant qu'il en peut tenir. Des femmes et des filles, alertes, souriantes, s'empressent à servir toutes sortes de poissons et de coquillages, à toutes sortes de sauces. Entre chaque mets, des cigarettes s'échangent et s'allument, – et on cause pêche ou contrebande, en espagnol et surtout en basque.

C'est au rez-de-chaussée, tout près des promeneurs. Par la fenêtre ouverte, éclate au premier plan la bannière rouge qui flotte, s'envole ou bien s'abaisse parfois jusqu'au sable ; puis, la plage où la musique s'est installée, où les danseurs commencent le fandango ; et, entre les couples qui tournent et se balancent les bras levés, un peu du profond bleu de la mer – où dorment aujourd'hui des centaines de petites choses noires qui sont les barques des pêcheurs en fête.

Des gens du dehors viennent à tour de rôle regarder et gentiment sourire par cette fenêtre ouverte. Il passe même des étrangers de Biarritz ou de Saint-Sébastien, des cyclistes en culotte courte, des élégantes aux larges chapeaux emplumés. Ils touchent la bannière, ceux-là, l'étendent pour en examiner les personnages enfantins et le patient travail…

Aussi loin d'eux que ces broderies anciennes qui les amusent, aussi loin d'eux, Dieu merci, de leurs conceptions et de leur mièvreries modernes, sont ces rudes pêcheurs bronzés qui soupent à cette table, entre des images du Christ, dans l'intacte candeur des vieilles joies, des vieux espoirs et des vieux rêves…

LA GROTTE D'ISTURITZ

Toutes les grottes du monde se ressemblent plus ou moins ; leurs galeries, leurs stalactites, leurs dômes sont de même architecture. Les mêmes mystérieux Génies, – ceux qui inventent les formes des lentes cristallisations, ceux qui président aux métamorphoses de la matière inorganique, – ont pris soin de diriger, pendant des millénaires, avec des patiences éternelles, leur ornementation blanche.

Celle d'Isturitz mérite d'être vue, bien qu'il en existe assurément de plus étonnantes.

Elle est située au cœur du vieux pays basque, où nous nous enfonçons par des chemins ombreux, à travers des ravins et des bois. A mi-côte, elle s'ouvre dans le flanc d'une montagne sauvage.

D'abord il nous faut grimper par des petits lacets, au milieu des roches, des sources, entre des tapis odorants de menthes et d'œillets. La contrée d'alentour, à mesure que nous nous élevons, se découvre pareille jusque dans ses lointains : pastorale, toute d'ombre et de paix, avec de grands bois, et, çà et là, de vieilles petites églises noyées dans les arbres.

Un trou, fermé par un pan de maçonnerie et par une porte quelconque, c'est l'entrée de la grotte.

Le paysan d'Isturitz, qui nous guide, nous ouvre avec une grosse clef, – et tout de suite nous pénétrons dans le mystère des régions souterraines, dans le noir, dans l'humidité froide, dans le silence aux sonorités effrayantes.

Nous descendons dans le gouffre par une pente roide. De plus en plus, au-dessus de nos têtes les plafonds s'élèvent, et les flammes de nos bougies y sont absolument perdues, comme dans les ténèbres d'une cathédrale.

Nous voici dans la grande nef. Au milieu, malgré cette obscurité de rêve où tremblent nos petites lumières, on distingue vaguement quelque chose de gigantesque, qui se dresse dans une pose presque humaine ; c'est tout blanc et laiteux, cela semble un colosse en albâtre qui essaierait de toucher la voûte avec sa tête.

Notre guide jette aux pieds de ce personnage une botte de paille qu'il avait apportée ; tout à l'heure il y mettra le feu, et ce sera le grand spectacle final.

Auparavant il veut nous emmener dans plusieurs galeries latérales où sont pétrifiées toutes les variétés de ces choses ou de ces êtres qui hantent les cauchemars. Les stalactites, aux aspects infiniment changeants, sont groupés là par familles, par formes à peu près semblables, comme si les Génies de la grotte avaient pris la peine de les classer.

Telle galerie est consacrée plus spécialement aux franges légères, si fines quelquefois qu'on les briserait en les touchant ; elles descendent de partout comme une pluie figée, elles pendent de la voûte en guirlandes innombrables : franges de toutes les tailles, très longues ou très courtes, qui se séparent ou s'emmêlent, avec une surprenante diversité de caprice.

Ailleurs, ce sont comme de longs doigts blancs de cadavre, tantôt ouverts, tantôt crispés en griffe ; on dirait des collections de bras et de mains, les uns absolument géants, qui seraient appliqués, enchevêtrés, superposés à profusion contre les parois froides. Mais jamais un angle vif, jamais une arête nulle part ; tout est d'un même aspect de crème qui exclut l'idée de dureté : on s'attend à ce que cela cède sous la moindre pression et on est surpris, quand on y touche, par cette rigidité de marbre.

Çà et là un monstre, également blanc, de silhouette inquiétante, se dresse ou s'accroupit, imprévu au milieu d'une allée, ou bien tapi dans un recoin d'ombre... Et, si l'on songe que la moindre de ces immobiles bêtes a dû demander pour le moins deux mille ans de travail aux Génies décorateurs du lieu, on en arrive à des conceptions de patience, à des conceptions de durée un peu écrasantes pour nos brièvetés humaines...

Ailleurs, enfin, c'est la région des grosses formes animales arrondies et molles : entassements de trompes et d'oreilles d'éléphants, monceaux de larves, d'embryons humains à têtes énormes sans yeux, tout le déchet d'on ne sait quels enfantements n'ayant pas pu prendre vie... Et toujours ces êtres isolés, séparés de la masse confuse des germes, assis n'importe où, membres ballants et oreilles pendantes.

Quand nous revenons dans la première nef, notre guide allume son feu de paille, et l'obscurité lourde s'en va, se recule dans les bas-côtés, dans les couloirs profonds d'où nous venons de sortir. A la lueur de cette flamme rouge, la haute voûte de cathédrale se révèle, apparaît toute festonnée et frangée ; les piliers se dessinent, ouvragés curieusement du haut en bas ; le colossal spectre blanc, entrevu tout à l'heure à l'arrivée, semble tout à fait une femme drapée dans des voiles, et son immense ombre monte, descend, danse sur les parois de ce lieu un peu effroyable...

Alors on reste confondu devant la raison des choses, devant l'énigme des formes, devant le pourquoi de cette magnificence étrange, édifiée dans le silence et les ténèbres, sans but, au hasard, à force de centaines et de milliers d'années, par d'imperceptibles suintements de pierres

Au sortir de la grotte, c'est une impression joyeuse que de retrouver l'air pur et chaud du dehors, la verdure des chênes, les grands horizons boisés, la lumière et l'espace ; au lieu de l'humidité sépulcrale d'en dessous, la bonne senteur saine des menthes et des œillets sauvages ; au lieu de la chute goutte à goutte des eaux mortes, dans le silence d'en bas, le bruit gai des torrents, qui sont des eaux vivantes et dans le lointain, les clochettes des troupeaux qui rentrent des champs. Pour un instant furtif, on est tout à 1 'ivresse de respirer et de voir, et le pays d'alentour, si tranquille et si vert, semble un Eden...

MESSE DE MINUIT

C'est une nuit de Noël ; mais, cette année, en ce point extrême de la France méridionale, c'est une nuit si douce qu'on dirait une nuit d'avril. Un croissant de lune, qui bientôt s'abîmera derrière la masse obscure des montagnes de l'Ouest, est encore en l'air, parmi de tout petits nuages semblables à des parcelles effilées de ouate blanche.

De la rive française où j'habite, je viens d'entendre onze heures sonner là-bas au vieux clocher de Fontarabie, sur la rive espagnole. Et voici la barque que j'avais commandée pour me passer, à cette heure nocturne, de l'autre côté, de la Bidassoa, qui est ici la frontière ; à la lueur de son fanal, elle arrive, en glissant, jusqu'au pied de mon jardin, établi en terrasse au-dessus de l'eau sombre.

Donc, en route pour l'Espagne.

La rivière est large, inerte et luisante sous la lune... Vraiment cette nuit de Noël est si douce qu'on dirait une nuit d'avril...

Depuis déjà plusieurs années, j'ai traversé ces eaux la même nuit et au même moment, tantôt par des temps tièdes comme celui-ci, tantôt par des temps de gelée ou de tourmente ; des fois, seul comme ce soir, des fois, avec des amis qui sont loin ou qui ne sont plus. Et c'était toujours pour aller assister à la pareille messe de minuit, dans le même couvent des moines capucins, situé un peu solitaire au bord de cette Bidassoa, sur la route qui mène de Fontarabie à Irun... Il y a une mélancolie grave à revoir, quand cela est possible, tous les ans, les mêmes choses, dans les mêmes lieux, aux mêmes dates et aux mêmes instants.

Après un quart d'heure d'une petite traversée, tranquille comme un glissement d'ombres, nous abordons au rivage espagnol et là, reconnu par les carabiniers de veille, je puis m'acheminer librement vers la chapelle des moines par une route qui suit la berge de la rivière, à la base des montagnes.

46

Le clair croissant de lune décidément me quitte, me laissant à la garde des étoiles, dans une pénombre plus confuse. Le long de mon chemin passent quelques hautes maisons basques, déjetées, anciennes, encore blanches au milieu de la nuit à force de chaux sur les murs ; puis, des fantômes d'arbres, de grandes ramures effeuillées. Il y a aussi des endroits déserts et plus obscurs, que des rochers surplombent. Et toutes ces choses dorment, dans une paix, dans un silence infini.

Vingt minutes de marche, une demi-heure peut-être, en allant sans hâte dans cette nuit très recueillie, qui emprunte on ne sait quoi de particulier et d'apaisant au doux mystère de Noël.

Deux ou trois bandes de chanteurs se croisent avec moi, annoncées de loin au milieu de tant de silence ; des garçons de Fontarabie qui se promènent aux lanternes, chantant les antiques chansons où figurent les Mages de Bethléem ; ceux-ci s'accompagnant avec une guitare grêle, ceux-là avec un tambourin. Un peu gris, tous, ils me disent en passant de gais bonsoirs, et tout de suite je perds dans le lointain le bruit de leurs voix, de leur musique sautillante et vieille.

Voici enfin les grands murs du couvent, d'un gris pâle et d'un aspect chimérique sous les étoiles de minuit ; je monte les escaliers des hauts perrons, et déjà, dans l'air si fraîchement pur du dehors, filtre jusqu'à moi une odeur d'encens.

La porte de la chapelle est ouverte, en raie de lumière jaune dans le bleuâtre nocturne, et, ce soir, paraît-il, entrera qui voudra sans contrôle aucun. Jadis pourtant, aux Noëls antérieurs, cette porte était verrouillée ; il fallait passer par la sacristie, après avoir montré patte blanche à un moine soupçonneux, et on ne pénétrait là qu'en petits groupes dévisagés et triés. Mais, dans nos temps, tout se simplifie, tout se banalise ; les sanctuaires n'ont plus de défenses et s'ouvrent à tous venants.

Elle est déjà remplie, cette chapelle, et, en y entrant, c'est un effet inattendu que de s'y trouver comme dans un nuage, d'y voir à peine, dans une nuit différente de celle de la campagne, à travers une si épaisse fumée d'encens qu'il y a du vague de vision épandu sur les capucins immobiles devant l'autel, et sur les femmes uniformément voilées de noir, immobiles dans la nef. Au murmure des litanies, qui se chantent à demi-voix dans le lointain du chœur, une impression étrangement funèbre se dégage dès l'abord de cet amas de femmes, dont les têtes enveloppées de drap noir s'inclinent vers la terre. Toutes ont mis la mantille de deuil, qu'il est d'usage, en pays basque, de porter pendant les cérémonies religieuses et qui a pour but de bien marquer l'humaine fragilité.

La mort, ici tout est pour la rappeler. Et il semble qu'elle plane lourdement au-dessus de ces quelques centaines de têtes courbées. Chaque dalle de cette église est une dalle funéraire, et on a conscience que ce sol où l'on marche est plein d'ossements. De cette foule de paysans et de pauvres, où les vieillards dominent, s'exhale une odeur de cadavre que l'encens ne dissimule pas. On entend çà et là des toux creuses qu'exagère la sonorité de la voûte. Et, de fait, ce n'est que la terrifiante pensée de la mort qui, ce soir, réunit là tous ces êtres d'un jour, pour l'effort en commun d'une prière. C'est contre la mort que sonnent toutes ces cloches d'églises, dont le bruit s'élève en ce moment de partout et remplit le silence. Et c'est contre la mort aussi qu'a été érigée cette grande Vierge blanche, seule éclairée par la flamme des cires, dans la chapelle sombre... Oh ! si souriante et si blanche, cette grande Vierge, au milieu de guirlandes de roses blanches : sorte de trompeuse vision infiniment douce, qui pose radieusement sur l'autel, parmi les nuages de l'encens.

L'encens de plus en plus s'épaissit dans la nef. Et les statues des saints se confondent avec les immobiles moines dont les barbes, les chevelures sont archaïques autant que celles des images de bois ou de pierre.

Cependant, ces litanies murmurées si bas ne sont qu'une sorte d'incantation préliminaire, de préparation à quelque chose d'autre, qui va se passer et que la foule attend. Au-dessus des fidèles, agenouillés ou assis, un vaste jubé mystérieux, grillé comme un harem, s'avance en voûte depuis le mur de façade jusqu'au tiers de l'église ; on sent qu'il est rempli d'assistants invisibles, et parfois il s'en échappe des sons de tambour, des cliquetis de paillettes, comme si on se disposait là pour quelque étonnante musique.

Maintenant voici l'heure, et la messe va commencer. D'autres cierges, plus nombreux, s'allument. Une dizaine de moines, dont les robes et les capuches sont de soie blanche, entrent rituellement dans le chœur nuageux, précédés de diacres qui portent des lanternes au bout de longues hampes. Tout cela, ancien, fané et demi-barbare.

Et alors tout à coup, dans le jubé secret, là-haut, en l'air, éclate une musique stridente et étrange, qui fait presque frissonner après le bercement monotone des litanies ; c'est que le Christ est né, c'est que le fictif triomphateur de la mort vient d'apparaître au monde, et on salue sa venue avec une soudaine et folle allégresse !... Deux ou trois hautbois, qui ont le mordant des musettes bédouines, mènent un chœur éperdument joyeux de voix d'hommes, scandé par une trentaine de tambours de basque et par une légion de castagnettes. Et tout cela, qui est si dissonant et si imprévu dans une église, arrive pourtant à produire, par son étrangeté même, une sorte de saisissement religieux. Ce sont de très vieux noëls du pays de Guipuzcoa, rapides et alertes comme des habaneras ou des séguidilles. Et les moines, qui font dans le jubé tout ce bruit de sauvage fête, accompagnent leur musique d'une sorte de pas rituel ; on les entend s'agiter en cadence, on voit trembler sur les murailles leurs ombres dansantes.

La messe, très compliquée, très longue, se continue dans un étourdissant fracas de hautbois et de notes humaines en fausset nasillard ; au-dessus de toutes les têtes noires enveloppées de voiles, au-dessus des vieux châles misérables, des vieilles chevelures grises, dans la fumée toujours plus épaissie de l'encens, les cantiques d'autrefois se succèdent avec une exaltation croissante, rythmés toujours par le petit tonnerre cuivré des tambourins, par le bruit sec et léger des innombrables castagnettes sonnant entre des doigts agiles...

Puis, quand tout est fini, il y a un mouvement pressé des paysans et des pauvres vers le chœur, où une poupée vient d'arriver dans les bras d'un capucin qui l'offre aux baisers des fidèles, une pauvre impuissante poupée que l'on a pris soin d'envelopper dans des maillots d'enfant et qui représente le Sauveur nouveau-né...

Et maintenant on se disperse, dans la nuit plus froide et plus bleue.

Comme au sortir de quelque rêve de l'ancien temps, je m'en reviens seul, du côté de la barque qui doit me ramener sur la rive française. Je m'en reviens plus attristé, parce qu'un Noël encore a passé sur ma tête, parce qu'une année encore est tombée au gouffre sans m'avoir apporté la solution de rien, ni l'espérance de rien.

Et pendant ce retour solitaire, j'ai conscience d'être déshérité mille fois plus que le dernier de ces humbles, de ces vieillards ou de ces pauvres, qui tout à l'heure, en priant comme avaient prié ses ancêtres, embrassait la naïve, la ridicule et l'adorable, l'ineffable poupée dans ses langes...

PASSAGE DE PROCESSION

Mardi 1er juin 1897

Tous les ans, depuis des siècles, dans la matinée du mercredi qui précède la Pentecôte, vingt ou trente villages basques perchés sur le versant espagnol des Pyrénées se vident de leurs paroissiens, qui, chargés chacun d'une croix comme celle du Christ, montent en pèlerinage au couvent de Roncevaux. Et, pour voir passer cette procession étrange, il faut aller la veille coucher à Burguette, le dernier des villages qu'elle traverse avant d'arriver au vénérable monastère.

Saint-Jean-Pied-de-Port, une petite ville paisible et charmante, que le chemin de fer, hélas ! ne tardera pas à déflorer, est le lieu d'où je pars, ce mardi 1er juin sous un ciel très sombre, pour monter en voiture à Burguette, par des lacets ombreux à travers une immense forêt de hêtres.

Une heure environ après Saint-Jean-Pied-de-Port, c'est l'Espagne ; c'est le village de Val-Carlos où il faut s'arrêter pour les formalités de frontière.

Et puis, comme Burguette est de l'autre côté des Pyrénées (près des sommets, à une altitude encore très grande), nous recommençons à monter pendant quatre heures encore, pénétrant au cœur de la forêt, qui se fait de plus en plus sauvage et plus verte. L'orage gronde sourdement autour de nous, derrière les nuées, et la cloche de Val-Carlos, pour conjurer la grêle, se met à tinter d'une petite voix fêlée et triste. Longtemps ses vibrations nous suivent, puis se perdent au-dessous de nous, dans le silence infini des arbres.

Sur les berges de la route, c'est un luxe monotone de fleurs roses : des silènes roses, des amourettes roses, des digitales roses ; aussi des ancolies, de grandes campanules, d'étonnantes saxifrages. Et partout des sources tombent, en gouttelettes fines ou bien en cascades vives, parmi les fougères…

La voici brusquement arrivée, la grêle d'orage, subite et cinglante comme un coup de fouet. Et nous nous arrêtons contre une paroi presque verticale de la montagne, qui est tapissée, avec une particulière magnificence, des mêmes fleurs. La grêle jette sur nous par myriades ses perles de verre ; alors, les longues quenouilles des digitales, coupées, hachées, sèment leurs fleurs sur la mousse, et il y en a tant que c'est comme une envolée de petits rubans roses au milieu des feuilles et des mousses si vertes.

Très vite, cela finit, l'averse passe, et les chevaux reprennent leur marche, nous élevant toujours par les interminables lacets dans la forêt de hêtres.

Et tous ces arbres de la forêt sont pareils, semblent de même forme et de même âge, arrivés à leur complet développement sans avoir été contrariés, un peu comme dans les forêts primitives.

Un bruit continu d'orage se fait en sourdine dans les lointains et, au-dessus de nous, est uniformément tendue une nuée sombre, de laquelle peu à peu nous nous rapprochons. De tous côtés, la forêt monte s'y plonger, dans cette nuée, et s'y perdre ; là-haut, les arbres, les rochers qui frôlent ce grand voile de ténèbres semblent mêlés à d'immobiles fumées et leur tête se noie tout à fait dans les épaisses choses grises. Nous nous élevons, semble-t-il, sur les parois d'un grand gouffre fermé ; des masses oppressantes nous surplombent de partout ! il fait si obscur, si obscur, que l'on dirait un hâtif crépuscule, et ce serait funèbre sans cette splendeur de la verdure et des fleurs roses.

Bientôt, nous voici tout près de la ténébreuse voûte que l'on dirait presque palpable. Et, à un tournant de la route si solitaire, une procession nous croise : une humble procession de village, toute transie par l'averse, d'une centaine de montagnards qui suivent une croix d'argent et trois prêtres en surplis de mousseline. Ils redescendent vers Val-Carlos, en chantant des litanies qui sont infiniment mélancoliques, entendues ici, au milieu de l'impassible souveraineté des arbres et du ciel noir.

Ensuite, plus personne, plus rien. Seulement, l'immobilité et le silence des gigantesques parois de verdure, le mystère de la forêt qui s'en va rejoindre là-haut ce vélum nébuleux, toujours plus voisin de nos têtes, comme une sorte de plafond dantesque. Nous cheminons à travers une morne obscurité verte et grise.

Et, après quatre heures environ de cette montée tranquillement régulière, nous entrons enfin dans le nuage, qui est une brume glacée ; alors on ne distingue plus que les ramures les plus proches, les massives ramures blanchâtres des hêtres. Le soir va venir, et tout s'assombrit encore.

Quand nous sommes au point culminant de cette route de lacets, qui devant nous commence à redescendre, la pluie tombe à torrents, tandis que le jour meurt ; à travers l'ondée, nous apercevons les hautes murailles et le donjon morose, du couvent de Roncevaux, où nous devons revenir avec la procession demain matin. Une demi-lieue plus loin, au dernier crépuscule, nous entrons dans Burguette. Et, sous la pluie ruisselante, dans un éclaboussement de boue, je descends à l'unique auberge du village, qui paraît vieille de deux ou trois siècles.

Là, j'attendais une nuit de solitude et de silence. Mais non, la veille du pèlerinage, c'est la coutume, paraît-il, de faire grande fête. Après le souper, arrive une première guitare, dont le manche est orné de pompons de laine comme la tête d'une mule ; puis une seconde, puis une troisième, tout un orchestre, avec un tambourin à paillettes de cuivre. Et la chaude musique d'Espagne commence, d'abord hésitante et légère, tandis que circulent le cidre et le vin, pour monter les têtes. Des fandangos, des jotas, des habaneras, peu à peu se renforcent et s'accélèrent, toujours plus bruyants, toujours plus rapides. Il vient des carabiniers, il vient des contrebandiers, il vient des pâtres. Point de femmes, que les deux servantes de la maison, ne sachant auquel courir. Mais les hommes dansent entre eux, jetant des petits cris d'enfantine joie.

Maintenant les guitaristes chantent, tout en promenant sur les cordes des mains effrénées ; la tête rejetée en arrière, les yeux clos comme par ivresse, la bouche largement ouverte, montrant des dents de loup, à demi pâmés, ils reprennent indéfiniment les mêmes vieux airs, avec une sorte de furie, sur des notes trop hautes. De minuit à deux heures, tandis que tombe dehors la grande pluie d'orage, tout le monde danse, même l'aubergiste, même sa femme, même des vieux et des vieilles que le bruit a réveillés dans les coins. Et l'auberge centenaire vibre du haut en bas ; on sent frémir ses boiseries déjetées, ses plafonds noircis ; ses murs sont comme imprégnés et, animés de la trépidation sautillante des guitares...

Mercredi 2 juin.

Auprès et au loin, les piétinements du bétail, les innombrables bruits de clochettes légères pendues au cou des moutons et des chèvres sont les musiques du matin sonore, dans ce solitaire village, au lever du jour frais, parmi les nuées des cimes.

L'antique auberge s'éveille, silencieuse maintenant, après avoir toute la nuit tant vibré de l'exaltation des chants et de la furie des guitares.

Sept heures, quand je descends de ma chambrette pour aller sur le seuil de la porte attendre la procession qui bientôt passera. Il ne pleut plus. Un peu de soleil perce les nuées errantes dont le village était enveloppé. La rue par où doit défiler ce cortège des croix s'en va assez régulière et longue entre de vieilles petites maisons toutes pareilles, dont les hauts toits noirâtres sont en planchettes de hêtre, en bois des forêts voisines. La boue de la chaussée est couverte à l'infini des hachures faites par les pieds fourchus des troupeaux qui, à la première heure, sont sortis pour se répandre dans les hauts pâturages, dans les prairies d'alentour. De temps à autre, des paysans, des paysannes passent, sur des mules qui ont aussi des clochettes et dont les harnais sont enjolivés de cuivre, dont les selles se terminent par des pendeloques rouges. C'est naturellement dans la direction du grand monastère de Roncevaux qu'ils s'en vont tous, pour le pèlerinage du jour.

Sur la place de l'église, on sera bien pour voir la procession arriver des villages d'en dessous, pour la voir sortir là-bas de cette brume blanche – qui est un nuage momentanément posé, dans un repli des Pyrénées.

Lourde, fruste, massive, étrangement rustique, battue depuis des siècles par les tourmentes des altitudes, est cette église de granit devant laquelle s'étend une petite place – au sol criblé, comme celui de la rue, par les empreintes des moutons et des chèvres.

Et tout à coup, là-haut, à chacune des deux fenêtres du clocher, par où deux cloches égales apparaissaient, des hommes surgissent, qui se mettent à sonner à toute volée, en maniant les battants comme des heurtoirs. Ding, ding, ding, ding, ils frappent l'airain avec une rapidité frénétique – comme ils jouaient de la guitare cette nuit, – et l'air s'emplit aussitôt d'un bruit fêlé, sauvage : c'est le signal de la procession, qu'ils ont déjà aperçue et qui sera bientôt visible pour nous.

En effet la voici venir, émergeant de la brume. Et on dirait d'abord un convoi de madriers, péniblement charroyés par des hommes en deuil. Puis, à mesure que cela s'approche, tous ces bois, en se dessinant mieux, montrent des formes d'instruments de torture : ce sont des croix comme celles du Calvaire, que des pénitents portent sur le dos et dont ils maintiennent les branches en étendant les bras dans des poses de suppliciés. On commence d'entendre une plainte intermittente, qui s'exhale en lamentation rythmée de cette foule en marche. Ils ont tous des robes noires, et, sur le visage, des cagoules noires ; pieds nus dans la boue, ils cheminent vite, contrairement à la coutume des lentes processions. Ils sont environ cinq cents, rangés en double file : Ora pro nobis !... Ora pro nobis !... crient-ils tous sur un ton de lugubre appel, en passant avec une sorte de hâte étrange, la tête courbée sous leur croix. De distance en distance, au milieu d'eux, les alcades de leurs villages les surveillent, le béret bas, drapés dans la grande cape des cérémonies. Derrière, viennent ensuite des groupes de diacres en surplis de mousseline, portant au bout de hampes les croix d'argent et de vermeil des vingt ou trente paroisses d'alentour, pièces d'ancienne orfèvrerie dont quelques-unes sont à demi barbares. Puis, pour finir, s'avance la nombreuse troupe de femmes en mantille noire qui chantent avec des voix tristes les litanies de la

Vierge. Pas de cagoules sur leurs visages, à elles, et dans l'encadrement de leurs voiles de deuil, ce ne sont que pauvres laideurs flétries, que pauvres regards de naïveté souffrante : population étiolée des trop grandes altitudes, filles pâles des hauts plateaux où les conditions de vie deviennent dépressives...

Sur la place de l'église, et çà et là dans la rue de Burguette, il y a les inévitables touristes, attirés comme par quelque fête de barrière dans ce village perdu – qui, hélas ! n'est plus assez protégé par ses montagnes, plus assez loin de Biarritz ou de Bayonne. Il va de soi du reste que ces intrus ont des jumelles, des appareils variés, des kodaks, des bicyclettes, voire des mirlitons. Et, devant toute cette humble humanité de montagne, qui passe lamentable sous ses haillons sombres, mais suppliante et enfantine, s'en allant s'agenouiller avec confiance devant la Notre-Dame de Roncevaux, ces gens-là trouvent des rires qui mériteraient des gifles immédiates, des réflexions qui sont une quintessence d'idiotie.

Cependant, vers Roncevaux, la rapide procession continue de monter, en poussant son gémissement lugubre, – et, à sa suite, me voici de nouveau dans la campagne.

La campagne, ici, c'est quelque chose d'admirablement vert, de constamment humecté par le voisinage ou le contact des nuées, quelque chose de mélancolique, d'un peu paradisiaque en même temps, que la main des hommes est à peine venue déranger. Et un je ne sais quoi dans l'air y donne conscience de la hauteur à laquelle on respire.

La route traverse des bouquets d'énormes hêtres aux branches toutes chevelues de lichens blancs, traverse des prairies de marguerites où paissent en troupes des chèvres blanches. Mais plus loin, partout alentour, c'est la forêt, la forêt de tous côtés, la forêt de hêtres qu'on ne voit pas finir, tranquille et pareille, silencieuse, fraîche et verte. Aux environs de ce plateau de Burguette, les cimes, qui semblaient si haut perchées quand on les regardait des plaines d'en bas, font l'effet de petites collines très proches, boisées toujours des mêmes essences puissantes. Et les nuages, qui surit ici chez eux, se promènent autour de nous comme des fumées, comme des ouates légères ; se traînent ou se reposent sur cette verte splendeur des arbres...

La procession, que je continue de suivre, chemine toujours de son même pas alerte, sans bruit, parce que tous ces pieds de montagnards sont nus ou bien chaussés d'espadrilles. On n'entend que les lamentations, perpétuellement reprises en cadence. Devant moi, c'est d'abord la masse noire des femmes ; puis, le groupe des croix d'argent, où un rayon de soleil en ce moment tombe et qui brille sur tout le vert nébuleux des fonds ; puis, enfin, à l'avant-garde, là-bas, la foule indistincte des crucifiés aux bras étendus, qui va se perdre tout à fait au milieu d'une vapeur épaisse, grise à reflets de nacre. Et l'antique Roncevaux, vers lequel tout cela monte, est invisible, derrière un nuage ; une grande fumée pâle, qui passait, s'est arrêtée pour l'enténébrer.

Cependant nous en sommes très près, de ce Roncevaux qu'on n'aperçoit point, car voici le fracas subit des cloches du beffroi qui signalent notre arrivée, à coups précipités comme ce matin sonnaient les cloches de Burguette. Et, soudainement, le couvent se dessine, agrandi par l'indécision de ses contours, par le vague dans lequel ce nuage le maintient encore ; il paraît colossal et farouche, avec son donjon de forteresse et son entassement de lourdes murailles.

On s'engouffre, dans l'ombre d'un vieux porche de granit. On traverse un cloître désolé, aux arceaux en ruine, plein de décombres, de fougères et de mousses ; le nuage toujours y embrume les silhouettes humaines, y jette une humidité et un frisson de sépulcre, y donne aux choses des aspects irréels et ramène l'imagination à la demi-nuit des temps passés.

Et enfin, on pénètre comme un flot dans l'obscurité de l'église, embaumée d'encens, où des cierges brûlent au fond, devant les vieux tabernacles étincelants d'or. Les petites flammes des cires font scintiller là-bas des colonnes dorées, des retables dorés, des restes d'anciennes magnificences, au milieu de tant de délabrement et d'abandon. Mais dans la nef, on y voit à peine pour se conduire, et c'est d'abord, une sorte de mêlée où la procession se condense en tâtonnant ; les corps en sueur se frôlent et se poussent ; les croix s'entrechoquent, on entend des claquements de bois, des heurts pesants sur les dalles.

Peu à peu, cependant, la foule se tasse, et les yeux habitués commencent à mieux voir. Toute l'allée du milieu, entre les colonnes, est occupée par la masse noire des femmes voilées de deuil. Et des deux côtés sont symétriquement rangés les cinq cents crucifiés aux bras étendus, aux respirations haletantes et fatiguées ; c'est ici le terme de leur pénible course, avec les fardeaux qu'ils traînaient, et maintenant les moines vont dire pour eux la bienfaisante messe…

Mon Dieu !… sans ces nuages qui aujourd'hui passaient, tout cela, peut-être, m'aurait semblé vulgaire et quelconque…

LA DANSE DES EPEES

Saint-Jean-de-Luz, 17 août 1897.

Sous le soleil de midi, la partie de paume allait s'achever. Au milieu de la place, au sol de ciment gris aplani soigneusement pour que les balles y puissent bien rebondir, les six champions ruisselaient de sueur ; dans la détente de leurs bras, dans le jeu encore puissant de leurs muscles, on sentait la fatigue et la hâte d'arriver à la fin.

D'ailleurs, elle n'intéressait plus, cette partie de paume, tant elle était inégale ; le résultat n'en laissait plus aucun doute, tant l'un des camps avait distancé l'autre. Et je cessais de suivre les joueurs, – tandis que, machinalement, mes yeux éblouis de soleil relisaient une inscription tracée à la chaux blanche sur ce mur arrondi du fond, où les balles venaient frapper avec des claquements secs.

Viva Euskual Herria ! disait l'inscription, en grandes lettres gauchement tracées (Vive la patrie basque !). Oeuvre de quelque passant fanatique du sol natal, de quelque enfant peut-être, voici qu'elle prenait pour moi une importance dominante : en ces mots d'une sonorité un peu étrange, en ce cri de rébellion un peu sauvage contre le nivellement général, se résumait pour moi tout ce qui restait de vraiment basque ici, à cette heure, dans ce Saint-Jean-de-Luz, de jour en jour plus défloré.

Quand on habite depuis longtemps la mourante Euskual-Herria, on en a tant vu partout, on en a tant joué, des parties de paume, qu'elles ont presque perdu le pouvoir de donner à l'imagination la note locale. Et aujourd'hui du reste – jour de grande fête, dans une ville en train de devenir, hélas ! station de bains quelconque – ces gradins qui bordent la place étaient garnis d'une foule cosmopolite, à l'aspect navrant de banalité.

Mais voici qu'arriva une troupe de paysans singuliers, tous pareillement vêtus. Et les Basques qui étaient là les accueillirent par des petits cris de gaie bienvenue : « You ! you ! you ! » auxquels ces

59

visiteurs, en souriant, répondirent, à la mode de chez eux, par des cris semblables : « You ! you ! you ! » – avec de ces voix flûtées d'oiseau, comme s'en font, pendant les danses, les Peaux-rouges de certaines tribus du nord.

Pantalons noirs, bérets noirs, blouses noires à mille plis, très courtes, finissant au-dessus des reins ; figures entièrement rasées, expressions naïves, regards des vieux temps… C'étaient des « Souletins », danseurs délégués, qui, pour prendre part aux fêtes, arrivaient de cette vieille contrée de la Soule, aux traditions encore immuables. Et leur musique les accompagnait : un tambourin, avec une sorte de grande flûte de Pan, ayant forme de carquois.

En leur présence, la partie s'acheva. Et, dès que le crieur, de sa voix traînante, eût annoncé en langue basque le dernier point, avant que la foule se fût levée, l'organisateur des fêtes pria ces Souletins de danser.

Alors, on vit le vieillard qui jouait la flûte de Pan s'avancer au milieu de la place, et les danseurs, une trentaine environ, former autour de lui un large cercle, sans se tenir la main. Au son d'un tout petit turlutu, mystérieux et comme venu de très loin, qui sortit de cette énorme flûte archaïque, les hommes commencèrent de se mouvoir gravement en cadence… On entendit bien çà et là quelques rires bêtes s'échapper de dessous des chapeaux élégants ; mais la majorité du public, même des plus vulgaires touristes, était conquise et s'intéressait. Un silence se fit, autour de cette danse presque silencieuse, tandis que les espadrilles légères des Souletins effleuraient sans bruit le sol de la place. L'Esprit des âges passés venait de s'éveiller encore une fois au son de la flûte, communiquant aux délicats un frisson inattendu, et imposant aux plus grossiers une sorte de respect quand même…

Réguliers comme des automates, les Souletins exécutaient des pas compliqués et rapides, sur un rythme triste. Par instants, un saut nerveux les élevait de terre, tous ensemble ; alors leurs petites blouses plissées, bizarrement courtes, s'éployaient sous leurs bras comme des jupes de ballerines, – et ils étaient si légers qu'on ne les entendait pas retomber. Malgré l'empressement de leurs pieds alertes, leurs visages demeuraient impassibles, naïvement graves. Toujours le vieux flûtiste tenait le centre du cercle, leur jouant sa grêle musique, ayant l'air de les mener par quelque sorcellerie ancienne... Et le soleil de midi faisait toutes courtes, presque nulles, les ombres de ces bonshommes noirs, qui dansaient en rond sur l'asphalte gris.

L'angélus du jour commençait de sonner, – car, Dieu merci, l'angélus sonne encore aux vénérables clochers de ce pays – quand, la séance, finie, le public se répandit dans les rues de Saint-Jean-de-Luz.

Pour quatre heures était annoncée une danse d'antiquité millénaire (la danse des épées, par de jeunes montagnards de Guipuzcoa) et il fallait, en attendant, déjeuner dans l'encombrement d'un hôtel, parmi des touristes de toute classe ; puis, errer d'une manière quelconque dans la ville en fête, où résonnaient çà et là des musiques basques, de tambourins et de fifres.

Saint-Jean-de-Luz conserve encore quelques recoins charmants, quelques tranquilles et honnêtes petites rues, empreintes du cachet local : toits débordants ; façades peintes à la chaux, où s'entrecroisent des poutres vertes ou rouges ; grands arbres passant par dessus des clôtures de jardins ; échappées de vue sur la mer bleue ou les Pyrénées brunes ; paix et silence, entre des murs blancs, sur un pavage de galets marins... Mais l'horreur des constructions modernes va se multipliant chaque jour. Pas un bout de plage, pas une gentille colline que ne déshonore à présent quelque grande bâtisse coûteuse, conçue par des rastaquouères extravagants, par des snobs en délire... Quand ce serait si simple, mon Dieu, pour ne pas défigurer ce pays, de bâtir des maisons basques, comme certains rares artistes ont eu le bon goût de le faire !... Hélas ! hélas ! qui nous sauvera de la pacotille moderne, du faux luxe, de l'uniformité et des imbéciles !...

Sous les arbres d'une place, devant certain café établi dans une ex-demeure royale du XVIIe siècle, je m'étais assis pour attendre, regardant passer des bicyclistes et des bicyclistes ; des femmes aux têtes emplumées, – des femmes qui étaient de toutes les nationalités et de tous les mondes, mais qui avaient copié les unes sur les autres, avec un complet dédain du type spécial à chacune, leurs accoutrements sans style ni raison. C'est un des bienfaits du siècle que, dans une ville balnéaire, il soit impossible de dire à première vue si l'on se trouve à Ostende, à Trouville ou encore à Saint-Sébastien.

Elle était bien perdue, la note étrange que, le matin, ces danseurs m'avaient donnée. Un effort était même nécessaire pour se rappeler que dans ces montagnes, aperçues au loin, existent encore les débris d'un peuple tenace qui garde, avec l'énigme de sa provenance, la foi, les traditions et le langage des ancêtres.

Cependant, deux guitaristes s'approchèrent, un vieil homme aveugle et une jeune fille, arrivés de l'Espagne voisine pour quêter des sous pendant les fêtes. Et, dès que se fit entendre leur petite musique sourde, presque éteinte par le bruit du vent qui soufflait de la mer et par la confuse rumeur de la ville, un voile commença de tomber, de tomber sur toutes les trivialités modernes. Ils jouaient une « Malaguénia » très ancienne. L'une des guitares faisait le chant, et c'était comme un chant d'Arabie, comme une plainte épandue sur des plaines désertes. L'autre accompagnait en petites notes brèves et tremblotantes, qui imitaient le bruissement des sauterelles dans les solitudes où le sable brûle. Et cela disait les tristesses des âmes d'autrefois, en Andalousie, à l'heure des midis accablants, au temps des Maures … Dans l'indéfinissable de la musique, dans le mystère des rythmes, se conservera pendant des siècles encore, malgré l'universelle fusion des hommes et des choses, ce qui fut le génie particulier des races…

Au coup de quatre heures enfin, les jeunes montagnards de Guipuzcoa, venus pour danser la danse des épées, apparurent dans la cour du couvent des Frères, où la foule avait depuis longtemps pris place à l'ombre des arbres, sur quelques centaines de chaises.

L'un tenait un immense étendard de soie, les autres, des épées nues. Indifférents et graves, comme ce matin leurs frères de la Soule, ils montèrent sur l'estrade qu'on leur avait préparée.

Coiffés du béret rouge, en bras de chemise, tous, et sans cravate à la mode basque, en pantalon blanc et le gilet ouvert, ils portaient sur les mollets de traditionnels ornements de cuir : des lanières garnies de grelots qui, tout à l'heure, d'un bruit un peu sauvage, accompagneraient la danse.

Elle ressemblait bien un peu à un théâtre de foire, leur estrade enguirlandée, – malgré un je ne sais quoi de plus honnête cependant et de plus naïf. Il faudrait donc, pour les regarder et les comprendre, faire abstraction de cela – abstraction aussi de la foule moderne et de mille petits détails ridicules, et, d'une façon générale, de toutes les choses ambiantes.

Eux-mêmes d'ailleurs semblaient ne pas s'en préoccuper, de cette foule. Et, la veille, ils avaient répondu, paraît-il, au directeur d'un casino des environs qui voulait les enrôler pour une soirée. « Non, nous sommes des Basques qui dansons en plein air, devant d'autres Basques, les danses de notre pays pour en prolonger la tradition. Mais nous ne sommes pas des gens que l'on paie pour qu'ils se donnent en spectacle. » Grands, découplés et forts ; ils avaient l'air aussi à l'aise devant ce public de baigneurs que là-bas, dans leur village, quand il s'agit de danser entre soi, le dimanche, sur la place de l'église.

D'abord ils s'agenouillèrent ensemble, le front incliné vers la terre, pour un salut superbe à leur étendard ; celui qui le portait, à genoux aussi au milieu du groupe maintenant immobile, se mit à brandir longuement la hampe, avec des gestes d'une plastique admirable, de façon à faire voler, comme de grandes ailes agitées, les plis de la soie au-dessus des têtes.

Puis, ils se relevèrent, nobles d'altitudes, et la danse commença, au son d'une sorte de marche belliqueuse jouée par un fifre et un tambourin. Le pas était compliqué singulièrement, avec, de temps à autre, des bonds d'une vigueur prodigieuse qui faisaient tinter les grelots et claquer, le long des mollets, les lanières de cuir. Il y avait de grands coups d'estoc portés en cadence, avec des parades vives, des heurts simultanés de toutes les épées, de bruyants cliquetis d'acier. Et cela faisait songer à quelque scène de l'antiquité, à quelqu'une de ces pyrrhiques guerrières auxquelles se complaisaient les jeunes hommes de la Grèce...

Sur cette même estrade, bien d'autres danses suivirent, toutes très anciennes, quelques-unes remontant à des époques incalculables, tant ce peuple est de vieille origine. Il y eut aussi l'antique pastorale d'Abraham, qui fut jouée là, par « les jeunes garçons de la commune de Barcus » – et où figurent, à côté du patriarche, les anges, les démons, voire même Chodorlahomor, roi de Sodome.

Ensuite, la nuit venue, on recommença sur la place publique, sans tréteaux cette fois et au milieu de la foule, la danse des épées, plus noblement barbare aux lanternes et sous la lune qu'à la lumière du jour. Puis, enfin un immense fandango entraîna tout le monde, filles et garçons, dans une même griserie de mouvement et d'alerte joie.

Ainsi, depuis une semaine, se succèdent à Saint-Jean-de-Luz ces fêtes de la tradition basque : toutes les danses de jadis, toutes les sortes de jeux de paume ; des improvisations par des bergers inspirés, des concours de ces étranges cris de gaîté qui s'appellent Irrintzina et qui font frémir ; des chants, des hymnes sacrées dans les églises... Et les exécutants de toutes ces choses portent des noms tels que ceux-ci, pris au hasard, dont les consonances semblent venir des plus primitives époques : Agestaran, Lizarraga, Imbil, Olaïz et Héguiaphal...

Cela se passe, il est vrai dans un décor, de plus en plus quelconque, devant des assemblées où les Béotiens dominent, et c'est si dépaysé, hélas ! que par instants cela semble lamentable au milieu des ineptes sourires.

Mais, malgré tout, combien il est touchant, combien il est digne d'intérêt et de respect, l'effort de conservation, ou de religieux retour vers le passé, que ces fêtes représentent !...

IMPRESSIONS DE CATHEDRALE

Burgos, à la tombée du jour, à la fin d'un dimanche d'avril, dans la splendeur d'un printemps méridional et dans tout l'or rose du couchant.

L'air est immobile, très doux ; un rayonnement de soir sans joie s'épand de plus en plus, à mesure que s'accélère la fuite de la journée, sur cette ville du passé, isolée dans les terres, vieillie, mourante au bord d'un mince fleuve, sans communication avec le grand large marin qui vivifie et égaye ; il semble que l'oppression de ce nom superbe : Burgos, de ce nom évocateur de magnificences anciennes, s'appesantisse, au déclin de la lumière, sur ces rues endimanchées, où circule, dans ses beaux habits modernes, l'Espagne d'aujourd'hui, si amoindrie auprès de l'Espagne d'autrefois.

La cathédrale, la très célèbre cathédrale, dès en arrivant, elle s'indique : au-dessus des maisons, apparaissent des choses qui se dressent très haut dans l'air jaune d'or, des flèches, des pointes, d'inimaginables découpures, si frêles avec leur ajourement excessif ! On dirait des dentelles de papier qu'emportera le vent – et elles sont là depuis des siècles, immuablement légères. Toutes rougies à cette heure, elles flamboient sous ce soleil déjà abaissé, qui bientôt n'éclairera plus qu'elles seules, laissant s'assombrir le fond des petites rues, où la foule du dimanche peu à peu rentre et disparaît dans d'obscurs logis…

Au cœur même de la ville, trône cette cathédrale, où l'on me conduit à travers un labyrinthe de maisons centenaires – très vite, parce que je repars sitôt la nuit close.

Maintenant la voici. De grands murs percés d'ogives gothiques, des séries de marches, des portiques somptueux où tout un monde de statues, taillé dans la pierre rougeâtre, s'aligne et se superpose. Puis, de majestueuses grilles – et subitement une pénombre crépusculaire, un froid de sépulcre descendant sur les épaules, une suave odeur d'encens dans une humidité souterraine : je suis entré, je pénètre dans un monde d'incroyables magnificences, dans une solitude sombrement enchantée. Devant moi, des lointains fuient, très obscurs, traversés çà et là par un rayon d'arc-en-ciel qui tombe de quelque vitrail, et des dalles bruissent sous mes pas, au milieu d'un silence, d'une sonorité de caveau...

C'est la cathédrale, la légendaire cathédrale, la merveille des vieux temps, plus surprenante que Milan, Strasbourg ou Tolède... Dans cet abandon du dimanche finissant, après que se sont tues les grandes orgues, que se sont éteints les encensoirs, elle est déserte et presque effrayante.

Au premier abord, on a un peu l'impression d'arriver dans une forêt pétrifiée, sous des arbres, démesurés. Les colonnes, les troncs monstrueux s'élancent tout enguirlandés de choses qui semblent des lierres, des mousses, et qui sont des sculptures fines et merveilleuses. En haut, partout où ces piliers déploient leurs arceaux comme des branches, les amas de feuillages s'enroulent, les frondaisons de pierre s'étalent, serrées, touffues, imitant un dessous de futaie – et témoignant du patient travail de toute une génération d'hommes. Tout cela taillé dans la pierre vive, tout cela indéfiniment durable, malgré sa délicatesse rare, et déjà transmis à nous de très loin par les siècles passés.

Des grilles géantes, de trente pieds de haut, en bronze, en fer, prodigieusement travaillées, courent dans toutes les directions, entre les piliers énormes, séparant de la grande nef une multitude de chapelles secondaires encore plus invraisemblablement magnifiques, où les feuillées délicates et infinies, les espèces de féeriques charmilles, qui, là aussi, montent jusqu'aux voûtes, ne sont plus de pierre, mais d'or étincelant.

Un homme, qui est le gardien de ces richesses, ouvre devant moi l'une après l'autre, avec des clefs ouvragées longues comme des dagues, toutes ces pesantes clôtures de fer ou de bronze, et le choc de ces portes qui se referment sur nous résonne longuement sous les hautes voûtes.

– Il est trop tard, dit-il, pour tout voir, la nuit va tomber. Et il me presse.

D'abord, nous étions seuls dans ce lieu si splendide ; puis, viennent quatre ou cinq paysans de la montagne, en vieux costumes, l'air craintif, sauvage et misérable, qui demandent la permission de suivre et se joignent à nous en tout petit groupe serré, regardant de près dans la pénombre les choses somptueuses, touchant du doigt les ors, soufflant les buées de leurs respirations sur les marbres.

Nous visitons le chœur, rempli de richesses inestimables, qui est enfermé à part dans une sorte d'immense cage en bronze ajouré et que cachaient de longs velums de brocart, retombant de toute l'élévation de la nef ; des flambeaux de cinq ou six pieds de hauteur, en argent repoussé, s'y alignent devant le maître-autel ruisselant d'or. Ensuite, toutes ces chapelles secondaires, dont les grilles, en s'ouvrant, éveillent des sonorités toujours plus lourdes et plus longues, dans l'obscurité croissante ; vues de près, leurs frondaisons d'or, imitant des acanthes, des chicorées légères, sont peuplées de centaines de personnages et d'animaux. Ensuite encore, en nous pressant toujours davantage, on nous montre les tombeaux des saints « fondateurs » ; l'homme qui nous conduit soulève brusquement les suaires de velours rouge et d'or qui recouvraient leurs images d'albâtre ou de marbre, leurs blanches statues couchées. Puis, nous traversons un dédale de cloîtres, emplis de souvenirs et de reliques, dont les portes sont fermées par d'étranges serrures à figure humaine, la clef s'enfonçant dans la bouche qui grimace. Et enfin, voici de nouveau l'immense nef, presque noire cette fois, et dans laquelle, au retour de notre course, nous rentrons tout à coup sans nous y attendre, par une petite porte sournoise.

De tout cela, aucune paix religieuse ne se dégage ; au contraire, le sentiment d'une magnificence écrasante, orgueilleuse, implacable ; non, pas même du calme, malgré tant de pénombre et de silence ; pas même, une reposante unité, comme par exemple dans certains sanctuaires japonais de la Sainte Montagne qui sont, avec celui-ci, les plus splendides des quelques temples de dieux respectés encore par le temps. Dans cette extravagante surcharge de richesses, on sent je ne sais quoi de tourmenté, de lourdement humain, de presque sensuel. Un prodigieux passé s'évoque : toute l'Espagne des grands siècles regorgeant de puissance et d'or ; mais la paix, la douce paix de tant d'autres églises chrétiennes, est absente d'ici...

J'ai déjà éprouvé que, voir pour la première fois les choses, furtivement, le soir, dans la fièvre des haltes courtes, est une manière d'en recevoir une impression complète, définitive et juste. Ainsi jadis, il y a bien longtemps, ayant fait ma première visite à l'Acropole d'Athènes au milieu de la nuit, en quelques minutes, au prix de mille difficultés et avec l'inquiétude de manquer le départ de mon navire, je me rappelle y avoir entrevu la grandeur antique d'une façon saisissante et neuve que, depuis, dans les mêmes lieux, je n'ai jamais retrouvée. Je ne désirerai donc pas revenir à Burgos, plus tard et plus longuement ; pour quelques incomparables détails que j'y découvrirais sans doute, mon impression d'ensemble serait affaiblie et diminuée...

Nous allions sortir.

Là-bas pourtant, deux minces flammes brillent, comme des lumières de Petit-Poucet, dans les lointains de la nef immense et, tout à côté, une forme noire se dessine agenouillée. Alors, voyons ce que c'est ; approchons-nous, très doucement, sur les dalles si sonores, pour ne pas troubler ce fantôme en prière.

Deux cierges – oh ! bien modestes – brûlent là devant un tableau de la Vierge, qui est dans un recoin négligé, dans une niche tout infime derrière l'un des piliers monstrueux, mais trop somptueuse encore avec son cadre éclatant de dorures anciennes.

Et une femme se tient auprès, prosternée, vêtue de noir, la tête couverte de la mantille de deuil. Elle porte à son cou un bébé lamentable, enfant de quelques mois dont la figure vieillotte est déjà marquée par la Mort. Et elle prie ardemment pour lui, tandis que se consument les cires, la pauvresse en deuil, ayant choisi la plus humble des images pour lui offrir ses cierges de deux sous. Elle prie les yeux pleins de larmes. Et le contraste est accablant et cruel entre les prodigieuses richesses d'alentour et la robe de la suppliante ;

entre la durée persistante de ces milliers de saints habillés d'or et la fragilité de ce petit être sans lendemain, enveloppé de guenilles, qu'on a apporté là devant eux, qu'on essaye si timidement de leur présenter pour qu'ils en aient pitié, et qui va bientôt s'en retourner à la terre.

Elle est déjà décrépite, cette femme, dont l'attitude révèle une détresse sans bornes : quelque grand'mère peut-être, disputant à la mort le petit d'une fille morte ; ou bien quelque mère ayant conçu dans un âge trop avancé un enfant non viable.

Elle le tient et le couvre avec une tendresse infinie, le pauvre petit essai humain, qui doit à je ne sais quel hasard d'être si manqué et si misérable ; elle abaisse un foulard noir sur son inquiétante figure qui exprime déjà une clairvoyante angoisse ; elle entoure d'un châle son mince corps de poupée, à cause de cette humidité de sépulcre qui tombe sur lui des voûtes de pierre. Et elle reste à genoux, remuant ses lèvres pour des redites obstinées et vaines.

Voici maintenant qu'elle me regarde, avec ses yeux désolés, qui devinent sans doute une pitié dans les miens et qui semblent interroger : N'est-ce pas qu'il a une mine bien malade, mon pauvre petit ? Je me détourne pour éluder sa question muette qui me serre le cœur, et je prends un air de m'intéresser à d'autres choses. Mais, l'instant qui suit, voyant que je reste là, elle lève de nouveau la tête vers moi, après un coup d'œil sur la splendeur d'alentour ; nos regards se croisent encore. Elle n'est pas bien convaincue, cela se devine, et ses yeux demandent, avec plus d'angoisse cette fois : Est-ce que vraiment vous croyez qu'elles m'écouteront, les divinités magnifiques ?…

Mon Dieu, je ne sais pas, moi, si elles l'écouteront. À sa place, cependant, j'aurais préféré porter mon petit dans une de ces chapelles de campagne où se complaît la Vierge des simples. Les madones et les saints qui habitent ce lieu sont avant tout, je crois, des êtres de faste et d'orgueil, endurcis dans la pompe séculaire. Non, je ne me les représente pas s'occupant d'une vieille pauvresse en larmes et de son petit avorton qui va mourir…

PASSAGE DE SULTAN

La fenêtre par laquelle je regarde est celle d'un des kiosques du palais de Yeldiz, résidence habituelle de Sa Majesté le Sultan.

Et la fenêtre, il va sans dire, encadre un grand décor très spécial, très unique, qui, dès le premier aspect, fournit une précise indication de temps et de lieu.

C'est d'abord, dans un poudroiement de poussière, dans un flamboiement du soleil de juin, à midi, sous un ciel pâli de chaleur, une mosquée invraisemblablement blanche ; mais une mosquée élégante et neuve, bien que construite en pur style ancien, une mosquée donnant l'impression des raffinements d'un Islam moderne, quelque chose comme nos nouvelles églises gothiques où des recherches d'archaïsme s'allient à des procédés perfectionnés ; presque trop jolie, avec son haut portique couronné de trèfles arabes, avec les très fines découpures de ses fenêtres, la grâce de son minaret couvert d'ornements comme des retombées de stalactites et surmonté d'un étincelant croissant d'or. Aux alentours immédiats, tout est neuf aussi, et arrangé, sablé, ratissé ; les arbres sont jeunes, les gazons peignés à la tondeuse et mêlés de corbeilles de fleurs, avec les soins habituels aux résidences princières.

Derrière la blanche mosquée tout en dentelles, qui occupe le milieu du tableau, qui en est le sujet principal et capital, apparaissent vaguement les grandes merveilles d'autrefois. Dans des lointains – dont l'arrangement par plans superposés indique que l'on regarde de haut – s'étagent le Bosphore, la silhouette de Scutari d'Asie ; puis, cette chose incomparable qui est la pointe du Vieux-Sérail avancée sur les eaux de Marmara, avec les minarets, les coupoles et les cyprès de Stamboul : tout cela à peine esquissé en grisailles bleues, mangé de soleil au milieu des miroitements de la mer ; tout cela, juste reconnaissable sous un voile de poussière lumineuse et occupant très peu de place dans les fonds, derrière la belle mosquée du premier plan – comme, dans certains tableaux des Primitifs, ces maisons et ces palais qui se tassent, tout petits, sous les bras et contre les épaules des personnages du milieu... Mais c'est une telle merveille, cette pointe de Stamboul avec Sainte-Sophie et le

Vieux-Sérail, que sa simple indication de présence suffit à évoquer, sous le décor moderne, le souvenir et le respect des passés magnifiques.

Les routes, les allées, les avenues en lacet qui avoisinent la mosquée impériale sont pleines de soldats en marche, qui se rapprochent au son des musiques militaires, et, de plus en plus, ces troupes se condensent autour des blanches murailles ajourées du sanctuaire dans lequel on devine qu'une chose solennelle va se passer. On les voit de tous côtés se croiser, zigzaguer comme dans les défilés sans fin des féeries au théâtre ; drapeaux de la cavalerie, bannières noires brodées d'argent, fanions rouges des lanciers passent et repassent les uns devant les autres, dans le nuage toujours plus soulevé de la poussière ; les grands cuivres clairs des musiques étincellent au soleil, et les hauts chapeaux-chinois ornés de queues de cheval ; des sonneries et des fanfares éclatent, l'air est rempli du son grave et si particulier des trompettes turques. Toujours il en vient, des soldats, qui se massent suivant un plan connu, avec une régularité parfaite, et s'arrêtent soudain à leur poste de parade. Les plus rapprochés, ceux qui s'alignent en rangs serrés directement au-dessous de nous, contre les murs du kiosque, sont des Arnautes du nord de l'empire et des zouaves de la Tripolitaine en turban vert ; troupes superbes d'ailleurs de tenue et d'attitude, d'ensemble et de beauté individuelle.

Maintenant, ils sont tous arrivés et ne bougent plus ; ils se recueillent, car l'heure sainte de midi approche, et bientôt va se passer dans la mosquée la cérémonie pour laquelle on les a rassemblés tous, le « selamlike », la grande prière du vendredi à laquelle assistera en personne Sa Majesté le Sultan.

Recueilli, on ne le paraît pas encore dans le salon où je suis ; des diplomates y causent avec des ambassadrices, ou bien effleurent ensemble des questions politiques.

On ne l'est pas non plus dans le salon voisin, qui est bondé de monde, de femmes surtout : touristes de différentes nationalités d'Europe, auxquels, sur la demande des ambassades, le grand maître des cérémonies a bien voulu permettre de venir voir ces défilés du selamlike. Et un aide de camp, le très aimable Mehmed-Bey, aux longues manches flottantes de Tcherkess, fait les honneurs du lieu, s'empresse à placer comme il convient les belles curieuses. – Sa Majesté, qui passera ici même, sous ces fenêtres, sera-t-elle à cheval, ou bien en voiture ? Question qui préoccupe beaucoup les spectateurs et à laquelle il est impossible de répondre. Le plus souvent, pour ce trajet de deux ou trois cents mètres entre le palais et la mosquée, le Sultan trouve plus simple de monter en voiture et de faire suivre, tenus en main, ses chevaux d'armes ; alors c'est un regret pour les yeux, car Sa Majesté a très grand air à cheval et d'ailleurs répond mieux ainsi à l'idée que nous nous faisons d'un Khalife, que passant en landau comme n'importe quel souverain d'Occident.

Cependant, l'heure s'avance ; l'escalier de marbre de la mosquée vient d'être recouvert en hâte du précieux tapis rouge sur lequel le Sultan posera les pieds, et, de chaque côté de la porte, se sont rangés d'étranges groupes asiatiques ; longues robes vertes, jaunes ou orangées, éclatantes sur le blanc neigeux des murs ; têtes brunes au regard sombre, coiffées de larges turbans : – prêtres délégués de là-bas, de la Mecque ou de Bagdad, des contrées si lointaines sur lesquelles le Calife étend son religieux empire, ils apportent au milieu de l'Orient modernisé d'ici la note farouche et charmante des temps anciens…

Par l'avenue sablée, que les troupes bordent d'une double haie et maintiennent libre, commencent à arriver des dignitaires de toute sorte qui se rendent à la prière, des officiers surtout, des généraux, des maréchaux, tous les chefs de la vaillante armée turque ; – mais on les regarde peu, dans l'attente de voir bientôt passer le Sultan.…

Voici, dans d'élégantes voitures fermées, les princesses de la famille impériale ; – mais un nuage de mousseline dissimule leurs costumes et leurs visages…

Le soleil flambe ; dans les salons clairs et blancs, sur la mosquée claire et blanche, dans les lointains troublés de miroitements et de poussière, rayonne une lumière puissante, et il semble que la chaleur soit alourdie encore par la présence de ces milliers d'hommes en armes, qui se tiennent massés là, ne parlant pas et retenant leur souffle.

Un à un, continuent d'arriver à pied les grands personnages conviés au selamlike ; les princes impériaux, les aînés avec leurs aides de camp, les plus jeunes, enfants en costume militaire, avec leurs précepteurs. Un succès de charme, quand passe un petit être ravissant, chamarré de croix, qui marche svelte et noble sous son costume de marine, tournant vers les curieux sa jolie figure intelligente ; dans le salon des touristes, où on ne le connaît pas encore, quelques têtes de femmes, aux chapeaux fleuris comme des jardins de mai, se penchent à la fenêtre pour le voir, et demandent : qui est-ce ? – C'est le petit prince Burhan-Eddine, le dernier des fils de Sa Majesté.

Bientôt midi. On regarde du côté du palais. On consulte les montres – montres de voyageurs, jamais d'accord, réglées à toutes les différentes heures d'Europe. Dans les troupes, qui se rectifient et dressent la tête, court un frémissement annonciateur de l'approche souveraine. Les musiques, à grands éclats de cuivre, entonnent ensemble l'hymne impérial. Et là-haut, à la galerie aérienne du minaret blanc, sous le croissant d'or, le muezzin vient d'apparaître, tout petit dans le ciel et dans le soleil, – le muezzin qui va chanter la sainte prière…

Midi ! Soudain les musiques se taisent, s'arrêtent au milieu de leur phrase, comme frappées et muettes ; un silence se fait, inattendu, subit, saisissant, comme sous l'oppression de quelque chose d'un peu terrible, et les troupes se figent dans une immobilité haletante. Alors les trois cris : Allah ! Allah ! Allah ! sortis ensemble formidablement de cinq mille puissantes poitrines de soldats, ébranlent l'air inerte et chaud… Et, dans le silence, qui retombe encore, après cette clameur immense, le souverain passe.

Il est en voiture, ayant devant lui Osman Pacha, le héros illustre de Plewna ; il passe très vite, tandis que toutes les têtes s'inclinent.

Et de là-haut, du ciel de feu blanc, tombe le chant du muezzin, l'appel oriental, l'appel séculaire ; la voix merveilleuse, choisie entre toutes les voix, domine les bruits terrestres, couvre les commandements militaires et la vague rumeur de tant de milliers d'hommes ; elle est fraîche, facile et infinie, un peu étrange aussi, avec son timbre mélancolique de hautbois. Ses fugues rapides et désolées s'envolent et s'abaissent, légères au-dessus des têtes humaines, jetant une mystique impression d'Islam, même, aux étrangers incroyants assemblés là pour un spectacle...

Le Khalife, descendu de son landau, gravit l'escalier de marbre sur le tapis rouge. Les robes orientales et les sombres turbans, qui étaient échelonnés le long des marches, se prosternent, jusqu'à terre. Les dernières notes de la voix céleste, devenues plaintives, se meurent là-haut – et c'est fini. Le Khalife est passé. On se reprend à respirer et à parler avec liberté, après le saisissement religieux, et les conversations recommencent, dans les groupes cosmopolites du kiosque, tandis que défilent, tenus en main, de beaux chevaux d'armes, blancs, harnachés d'or... L'instant a été court, furtif ; mais c'est égal, on a senti encore, avec un frisson, au milieu de la mise en scène splendide, le frôlement d'un de ces êtres spéciaux qui s'appellent empereurs ou rois, et en qui de grandes nations se personnifient.

PASSAGE DE REINE

J'habite en France, mais sur une sorte de balcon avancé qui regarde l'Espagne. Des fenêtres, des terrasses de ma maisonnette à demi baignée dans la Bidassoa, je vois et j'entends tout ce qui se passe sur la rive d'en face, qui n'est plus française.

Aujourd'hui, jour quelconque, en pleine splendeur d'été, voici tout à coup une agitation inattendue des cloches de là-bas : l'église de Fontarabie, l'église d'Irun, les couvents de moines, sonnent, sonnent, comme pour les grandes fêtes carillonnées... Puis, c'est un large drapeau national, rouge à bande jaune, qui monte bien vite au-dessus du château de Jeanne-la-Folle, éclatant de couleur sur le brun sombre des montagnes, – et des barques françaises, qui se hâtent de partir vers Fontarabie, emmenant des gens d'ici comme pour un spectacle.

Qu'est-ce qu'il y a ?... J'interroge un batelier par ma fenêtre :

– C'est la Reine ! la reine d'Espagne ! Nous allons la voir passer !

En effet, je savais, que, chaque été, Sa Majesté la Reine Régente venait de Saint-Sébastien faire un pèlerinage de quelques heures au vieux Fontarabie.

– Tiens, si j'allais, moi aussi, voir passer la Reine, mêlé à la foule des paysans et des pêcheurs !

Et je descends prendre place dans la joyeuse barque, où une bande de jeunes filles et de jeunes garçons échangent leurs gaîtés naïves en une des langues les plus vieilles et les plus mystérieuses du monde, avec ce roulement sonore et léger des r qui est particulier aux mots basques

Dix minutes sur cette Bidassoa, endormie et lente, à l'heure de la haute marée, sous l'éclatante lumière méridionale, – et nous abordons à la rive espagnole, au quai désert de Fontarabie.

Elles disent, les jeunes filles, qu'il est déjà presque trop tard : la Reine va sortir de l'église et s'en aller ; alors il faut courir...

Par un raccourci familier, lestement nous grimpons, entre des maisons du plus noir moyen âge, sinistres et mortes sous le soleil ardent, – et tout de suite nous voici dans l'étonnante vieille rue des Chevaliers, à côté de l'église aux murs de forteresse blasonnés si magnifiquement.

Bien tard, en effet, à peine le temps d'ôter nos bérets, d'ouvrir nos yeux éblouis de soleil, la Reine passe, très vite, très vite, dans une voiture découverte que des mules emportent ventre à terre sur les bruyants pavés. A peine apparue, à peine reconnue, la Reine est déjà en fuite rapide, ayant à ses côtés l'enfant roi, qui se retourne une demi-seconde pour jeter sur l'église ses jeunes yeux profonds. Et si simplement habillée, cette Reine, d'après l'usage moderne qui exige que les souverains ressemblent le plus qu'ils peuvent à leurs sujets ; il est vrai, tellement reine d'aspect, malgré sa simplicité voulue, que, dans ce cas particulier, la confusion ne serait guère possible.

Je souris du désappointement de mes compagnons de barque, accourus de notre France où il n'y a plus de rois dans l'espoir sans doute d'admirer une belle robe dorée. Mais vraiment ce nivellement étrange qui emporte tout, les usages, les traditions, les costumes, la pompe et les splendeurs, me frappe davantage, ici, dans ce décor si intact du passé espagnol, parmi ces sombres maisons armoriées, et au carillon d'honneur de toutes ces cloches d'autrefois...

Là-bas, au bout de l'antique petite rue, déjà la voiture royale va disparaître, – et les campagnards, les pêcheurs attroupés près de l'église, sont lents à remettre leurs bérets, lents à s'agiter et à élever la voix, comme après une émotion un peu religieuse. Tous Carlistes, pourtant, par bien ancienne tradition ; mais on sent que, à ceux-là même, la souveraine et la mère qui vient de passer, simple et grave dans sa robe unie, impose le sympathique respect par le seul charme de sa présence.

PAPILLON DE MITE

Dans ma maison familiale, – dans mon logis particulier qui est comme un coin d'Orient ancien – un soir terne et voilé de printemps, entre les rideaux sombres et presque fermés, une lueur de crépuscule se glisse, triste, dessinant une longue raie dans l'air obscur.

Des plis d'une tenture murale en velours rouge, brodée d'archaïques dessins d'or, quelque chose d'infiniment petit s'échappe, comme attiré vers cette traînée mourante de jour, et, une fois là, se met à voltiger follement : un à peine visible papillon gris, un fétu ailé, qui sans doute vient d'éclore au renouveau si pâle de cette année.

La saison d'avant, tandis que je courais les mers chinoises, il avait été quelque affreux petit ver, rongeant en sournois la trame du velours précieux, dans la continuelle obscurité et le continuel silence de cet appartement.

Et, aujourd'hui, une vie toute neuve grisait cet atome, et ce peu d'espace lui semblait grand, et cette pénombre lui semblait, de la lumière. C'était son heure jeune, et son heure exubérante, et son heure d'amour, et le but et le couronnement de toute son inférieure existence de larve. Vite, vite, dans le délire d'exister, il agitait ses ailes de soyeuse poussière, pour décrire ces petites courbes gaies et fantasques…

En passant, je le fis tomber d'une pichenette irréfléchie, Alors, par terre, sur le rouge pourpre d'un tapis oriental, je distinguai de nouveau son petit corps abattu, secoué du tremblement de la fin, – et, par pitié, pour replonger sans plus de souffrance ce rien dans le néant de tout, je posai le pied sur sa microscopique agonie…

Après, je restai songeur une minute… Qu'est-ce donc que cela me rappelait ? Quelque chose d'à peu près semblable, une sorte d'agitation, de papillonnement gris pareil, m'ayant causé jadis, ailleurs, une courte mélancolie de même ordre, mais plus vive... Où donc avais-je vu ça ?

Ah ! oui !! ... A Constantinople, un soir d'avril terne comme celui-ci, sur le pont de bois qui réunit Stamboul à Péra !... Je passais, à la tombée d'une journée de printemps, brumeuse comme aujourd'hui. Tous les mendiants qui hantent ce lieu étaient à leurs postes ; le long des rampes, leurs figures coutumières s'alignaient : aveugles, estropiés, idiots rongés par des plaies. Entre autres, un enfant lamentable de quatre ou cinq ans, aux mains recroquevillées, aux yeux malades, chaque jour immobile à sa même place, effondré sur des loques, au bord du trottoir, apathique et lent comme une larve. Et, derrière lui, sa mère accroupie, vieille femme exhibant les moignons rouges de deux jambes tranchées au genou.

Les gens passaient, affairés ou flâneurs, les cavaliers, les voitures, les hommes en fez rouge, les belles voilées des harems. Et, derrière ces foules, Stamboul échafaudait magnifiquement ses dômes dans le triste ciel crépusculaire.

D'une voix presque douce, la femme sans jambes appela son petit, disant en turc : « Viens mettre ton manteau, Mahmoud ! viens vite, voilà le vent qui froidit ! »

Il se leva docile et il vint. Son manteau était un vieux petit burnous sordide, grisâtre à rayures indécises, d'une forme orientale avec un capuchon. La mère lui tendait cette loque, et il présentait ses menus bras que terminaient des mains croches.

Mais tout à coup, avant que la seconde manche fût passée, il s'échappa, dans un subit élan d'espièglerie, et il se mit à courir, à courir, décrivant des cercles fous devant les passants, s'amusant à agiter, dans le vent froid qui se levait, les manches de son burnous comme des ailes...

Un peu de l'éternelle et si fugitive jeunesse, un peu de cet enfantillage joueur du début de la vie, qui est commun aux hommes et aux bêtes, venait par hasard de s'éveiller en lui. Parmi ses ascendants, jadis il avait dû avoir, comme tout le monde, des êtres sains, connaissant les élans de la joie physique, de la simple joie d'exister et de se mouvoir ; alors quelque chose de ces disparus revivait furtivement dans sa frêle chair atrophiée.

Je le regardais, étonné, l'ayant toujours connu inerte, et je ne sais quelle impression d'infinie tristesse se dégageait pour moi de sa pauvre petite gaîté si éphémère, de sa course follette, du papillonnement de son burnous grisâtre dans le vent refroidi et dans la lumière pâlie…

La mère sans jambes s'inquiétait à cause des chevaux, des voitures ; l'appelait, se fâchait, essayant de se traîner vers lui pour l'attraper. Mais il tournait toujours, autour des groupes indifférents qui passaient ; il tournait éperdument, semblable aux phalènes grises des soirs…

Il revint pourtant s'accroupir à son poste de misère ; il reprit son attitude effondrée et ne bougea plus. Ce fut fini, brusquement, comme cela avait commencé.

Quelque chose de plus cruel que la pichenette donnée au papillon de mite venait d'abattre ce petit être déjà pensant : l'inquiétude du gîte et de la soupe du soir ; la conscience d'être si misérable et si différent des autres, d'avoir des mains mortes et d'être un paria.

Tête baissée, il regardait maintenant par terre avec une impression sournoise et mauvaise, clignant ses paupières pleines de mal…

Entre lui et le papillon de mite, l'association qui s'est faite dans ma mémoire est encore plus intime que je n'ai su l'exprimer…

PROFANATION

– Le fossoyeur est là dans le jardin, qui vient avertir le commandant que les trous sont faits !

Avec l'alerte accent gascon, cette sinistre phrase m'est dite, un matin de printemps, par un marin tout jeune, à la voix fraîche et gaie.

Un matin de printemps, un beau matin de mai rayonne sur le pays basque. Et il y a tant de vie neuve épandue partout, tant de joie dans l'air, tant de sève montante dans les plantes vertes, que la mort semble un noir rêve improbable... Cependant, à la porte de mon jardin plein de roses, se tient le vieux homme annoncé, le fossoyeur aux mains souillées de terre...

Il s'agit de pauvres petits matelots bretons, enfants d'une vingtaine d'années, noyés il y a quatre ans dans les brisants de la Bidassoa, et que l'on exhume aujourd'hui. Le cimetière où ils dormaient est devenu trop étroit, trop plein de morts ; il faut les réveiller et les déplacer. L'équipage de leur navire, que je commande en ce moment, vient d'acheter pour eux, à perpétuité, un terrain où pieusement on va les coucher tous ensemble. Et, comme leur famille est loin, c'est à moi que revient le soin de surveiller ce changement de demeure.

Les trous sont faits. Donc, il est temps que je me rende. Et je prends, à la suite du vieux déménageur de morts, le sentier bordé de marguerites, de véroniques, de germandrées, de graminées folles, qui mène à l'enclos des suprêmes paix.

Du haut d'une colline au bord de la Bidassoa, le cimetière regarde de grandes profondeurs lumineuses, de grands déploiements de mer et de montagnes qui sont, à cette heure, de tous les bleus connus, depuis les plus pâles et les plus diaphanes jusqu'aux indigos les plus intenses. L'air, étonnamment suave à respirer, est plein de senteurs d'aubépine, de senteurs de lis. Et le cimetière est tout en fleurs ; on dirait d'un jardin privilégié où les choses pousseraient à profusion ; des lis blancs, fleurs d'autrefois, déjà un peu archaïques, montent çà et là leurs longues tiges au-dessus des tombes ; des œillets s'étendent en bordures et en tapis ; des pâquerettes de pleine terre forment de grands bouquets réguliers ; il y a surtout des rosiers du Bengale fleuris avec une surprenante abondance : ils sont des gerbes roses, des masses roses qui se détachent délicieusement sur le bleu des lointains. Le mois de mai méridional a jeté sur ce lieu une exquise parure éphémère, et il fait aujourd'hui un temps rare, même dans le Midi ; un temps limpide parmi les plus limpides, et calme, tiède sans accablement, presque immobile avec de légers souffles tout imprégnés de vie, qui passent... Et on a beau avoir éprouvé tant de fois combien sont trompeurs ces mirages des printemps, on s'y laisse prendre encore, comme on s'y laissera prendre toujours, jusqu'à l'heure de la vieillesse sombre. On s'abandonne à une sorte de bien-être, d'intime ivresse de vivre, qui semble ne jamais devoir finir, pas plus que cette fête de lumière et de jeunesse qui est ce matin partout, immense, rayonnante et douce...

Les trous sont creusés jusqu'à découvrir les planches pourries des cercueils ; mais on s'est arrêté là, suivant l'ordre que j'avais donné ; on m'attend pour soulever ces couvercles d'épouvantes.

Allons, commençons par Yvon Gaëlo, vingt-deux ans, gabier, dont le nom se lit en lettres blanches sur une pauvre petite croix de bois noir renversée parmi des œillets et des marguerites.

Le vieux fossoyeur descend, s'enfonce jusqu'à disparaître entre les parois de la fosse fraîchement ouverte ; un autre homme, son aide, reste en haut, près du bord, attentif à ce qui va se passer...

Un premier coup de pioche, du côté des pieds, dans les planches qui cèdent et s'émiettent ; alors, au milieu d'une terre grasse, plus noire que celle d'ailleurs, des débris informes apparaissent. Le fossoyeur tire sur quelque chose de long et de noirâtre : une jambe, qui se casse au genou et lui reste dans la main :

– Allons, dit-il à l'homme d'en haut, ils sont trop avancés, il faudra les avoir par morceaux ; va-t'en vite chez nous chercher la corbeille !

Et tout courbé sur sa besogne, il gratte là dedans avec ses ongles, ramassant un à un des doigts de pied qu'il range en petit tas, comme un jeu d'osselets.

– Je ne les croyais pas si avancés que ça, continue-t-il ; c'est vrai que, de ce côté du cimetière, ils finissent toujours plus vite...

En effet, il n'y a plus guère que des ossements, qui se tiennent à peine entre eux.

Le soleil de mai plonge au fond de cette fosse, aussi gaîment que sur les fleurs voisines, il descend sur ces choses longtemps enfouies, qu'on s'imaginerait faites pour s'agiter dans les ténèbres, dans les confuses pénombres des nuits, et qu'on est presque surpris de voir si nettement éclairées et si définitivement inertes. L'horreur qu'on attendait en est déjà moindre : elles diffèrent si peu, ces pauvres choses de la terre d'à côté où les roses puisent la vie...

Voici la corbeille d'osier arrivée, et les débris s'y entassent. Le déterreur procède par méthode, en remontant peu à peu vers la tête du mort ; les jambes, retrouvées ; tous les doigts des pieds, comptés avec soin, il découvre à présent les os plus larges du bassin, que de vivaces racines traversent, enlacent d'une infinité de filaments blancs...

En remontant toujours, voici le plus horrible, la poitrine, entre les cercles encore rougeâtres qui sont les côtes, apparaissent des tas de pourriture noire, des amas de vers. Alors, malgré le souriant soleil, malgré toutes les fleurs trompeuses, un frisson de révolte et d'effroi passe en nous, et le vieil homme lui-même se redresse hésitant.

Il prend son parti toutefois, réunit ses deux mains, les doigts joints, et puise dans ce thorax comme avec une cuiller... Il a raison, en somme ; tout cela n'est que de la matière inoffensive, fécondante pour les racines profondes, déjà presque de l'humus, qui passera dans les branches des rosiers à la pousse prochaine

Et, de nouveau, mais définitivement cette fois, l'horreur s'en va ; la révolte, le dégoût, font place à je ne sais quelle résignation grave, et il me semble que, moi-même, s'il le fallait, pour quelque pieux devoir ou pour quelque agreste besogne de culture, j'oserais toucher à de tels débris. C'est presque une impression apaisante que de surprendre ainsi, à la lueur du grand soleil, le mystère des transformations souterraines ; de voir que ce n'est que cela, un cadavre, qu'au bout de trois ou quatre années c'est déjà si peu humain, si proche du terreau et des pierres. Et on comprend mieux les dernières volontés de certains penseurs, d'Alphonse Karr entre autres : être enfoui entre des planches très minces, à peine solides, pour pouvoir retourner plus vite à la terre…

La corbeille s'emplit toujours on y a jeté aussi des fragments encore reconnaissables de la chemise du matelot et sa cravate presque intacte.

Voici que l'homme y jette même un morceau du cercueil ; alors je lui demande :

– Pourquoi, ce bout de bois ?

– Oh ! répond-il, c'est pour ce qui tient après ; tenez, voyez, ça vient de lui, c'est de ses vers.

Et il retourne la planche pour me montrer, en dessous, un amas de larves qui s'y tient collé.

Le soleil monte, monte radieux dans le ciel tout bleu. L'heure de midi s'avance avec une tranquille splendeur. Du sol, s'exhale une odeur de menthes, d'herbes surchauffées, qui va, jusqu'à l'heure plus fraîche du soir, dominer le parfum de toutes les fleurs d'ici, roses, œillets, giroflées ou chèvrefeuilles. Il y a comme une joie infinie dans l'air ; la vie épand ses mille puissances, le renouveau sourit délicieusement partout. Là-bas, très loin, les nappes étincelantes de la mer viennent de se couvrir d'innombrables petites voiles blanches : toute la flottille des pêcheurs de Fontarabie qui prend gaîment le large, emportée par la brise légère. Sur le mur de l'enclos, des enfants frais et rieurs se sont perchés, pour voir ce que nous faisons, et, près de moi, deux belles filles, coiffées du foulard basque, regardent tranquillement la corbeille si remplie.

Le vieux fossoyeur continue de fouiller avec ses doigts

– Oh ! s'écrie-t-il, voyez si on a raison de dire qu'ils tombent tous du même côté, la tête sur la gauche La voilà, la tête, et regardez un peu de quel bord elle est tournée !... Oh ! ces dents, c'est-il blanc ! c'est comme du lait !

Il prend la tête dans sa main, l'élève hors du trou, toute suintante et rougeâtre, au plein soleil :

– Mais, regardez-moi ces dents ! c'est-il joli !... Dame, aussi, des tout jeunes, des enfants, comme ça, et des si beaux enfants qu'ils étaient !

Puis, s'adressant aux deux belles filles qui sont là, curieuses et nullement recueillies :

– Le jour de leur mort, j'en connais plus d'une au pays qui a pleuré, allez !... A leur enterrement, tenez, je m'en souviens comme si c'était d'hier, je parie qu'il y avait plus de trois cents personnes !... Ah ! les cheveux à présent ; tenez voilà les cheveux !

Et il met, sur le tas des débris, des choses légères qui ressemblent à de l'étoupe blonde...

Cependant, elle est trop pleine, la corbeille, posée tout au bord de la fosse ; il s'en détache un amas de pourriture noire qui retombe sur le vieux déterreur, sur son cou, dans sa chemise ouverte...

– Oh ! fait-il, un peu décontenancé tout de même.

Et il se secoue :

– Je l'aurais préféré de son vivant pour me tomber dessus, bien
sûr ! ... Enfin, ça ne me tuera pas, je pense bien !

La besogne pénible s'avance.

Les trois premiers sont déjà partis par morceaux. Nous en
sommes au quatrième, Jean Kergos, timonier. Près de sa jambe, à la
hauteur où la poche de son pantalon pouvait être, le fossoyeur
trouve une petite chose noire, qu'il dépose à mes pieds : une bourse
de cuir, avec un fermoir en métal... Ah ! c'est que celui-ci, rapporté à
la plage par une lame au bout de huit jours seulement, n'avait sans
doute pas été déshabillé avant sa mise au cercueil.

Je fais ouvrir cette bourse. Elle contient des pièces d'argent, des
sous espagnols, puis des boutons de marine, avec des aiguilles pour
les recoudre. Pauvre garçon, il était un soigneux, probablement, un
qui aimait avoir sa tenue de matelot bien en ordre... Allons, qu'on
lui rende sa bourse et ses bibelots de couture ; dans le panier tout
cela, avec ses os et les débris de sa chair. Gardons seulement ses
pièces d'argent : il a peut-être, qui sait, quelque vieille mère
indigente, à qui ce legs suprême fournira du pain.

Quand la corbeille a été remplie une dernière fois, je quitte ces
fosses vides pour la suivre, tandis qu'on l'emporte, par les petites
allées paisibles si envahies de graminées folles, si fleuries de roses.
L'air très suave est à la fois chaud et léger. Des oiseaux chantent et
des abeilles bourdonnent. Vraiment, je n'ai jamais vu journée plus
charmante, temps plus enchanteur, ciel de renouveau plus rempli de
mensongères promesses douces. Et les apaisements inattendus
continuent de se faire en moi-même, apaisement de l'effroi physique
d'après la mort, apaisement de l'horreur des cimetières, résignation
aux pourritures promptes, dans cette terre où descendent les racines
amies, transformeuses de tout...

Voici le trou préparé pour les réunir. Au fond, dans une grande
caisse en bois blanc, où sont déjà les débris mêlés des autres, on jette

le contenu de cette quatrième corbeille. Alors tout mon calme d'esprit s'en va, à contempler cet amas d'os rouges, de lambeaux de drap de marine, de pourriture noire et de vers, qui a été quatre jeunes hommes, quatre beaux matelots... Des boules rougeâtres, – les crânes, – se détachent sur ce fouillis sans nom, la tête de l'un entre les tibias de l'autre, dans une promiscuité atroce, dans un désordre ridicule et pitoyable...

Anxieusement je me demande si nous ne venons pas de commettre, dans un dessein pieux, la plus odieuse des profanations... Oh ! laisser les corps en paix, là où ils sont couchés, ne pas rouvrir les tombes, ne pas porter la main sur les ossements !...

Les Orientaux encombrent leurs villes de cimetières, plutôt que de violer une sépulture ; ils détournent un chemin plutôt que de déranger le plus humble des morts... Mais, comme nous sommes loin, nous, de leurs respects exquis ! ...

L'OEUVRE DE MER

Peut-être ai-je détourné autrefois un petit courant de sympathie et de charité vers cette race héroïque de matelots qui est vouée, de père en fils, à la pêche d'Islande. On a versé quelques larmes sur les Yann et sur les Sylvestre, sur les Gaud et les vieilles grand'mères Moan, qui sont innombrables dans ces familles de pêcheurs. Et, à une époque où la mer avait fait plus nombreux que jamais les orphelins et les veuves, mes amis inconnus ont généreusement donné sur ma demande ; j'ai eu l'inoubliable joie d'aller distribuer à Paimpol de larges aumônes.

Eh bien ! ils sont encore les heureux, ces Islandais-là, qui meurent, comme « Yann » et comme l'équipage de la Léopoldine, en pleine santé et en pleine vigueur, emportés soudainement par les lames au milieu de quelque tourmente.

Et c'est pour de plus déshérités que je tends la main aujourd'hui ; c'est pour ceux que la maladie vient prendre en mer, pendant la saison de pêche, sur ces eaux lointaines et glacées ; c'est pour ceux qui finissent là dans des agonies affreuses, éternellement secoués et éternellement mouillés, à bord de bateaux inhabitables, où personne ne sait le premier mot de ce qu'il faudrait faire pour les guérir. Ils n'ont même pas, ces braves, les secours élémentaires que le dernier de nos rouleurs de grands chemins est assuré de trouver dans les hospices de France.

Cette mortalité, par les maladies qu'on ne soigne pas, est énorme chaque année, et il est révoltant de se dire qu'on n'a pas enrayé cela encore, quand c'était si facile !

Une œuvre enfin vient de se fonder dans ce but. Une société s'est constituée pour équiper des navires-hôpitaux qui iront dans les parages d'Islande, et où les malades seront recueillis, – recueillis et presque toujours sauvés, car, en général, il suffira des moindres soins, des plus ordinaires remèdes, pour rétablir ces constitutions robustes.

Mais l'argent manque encore à cette société si nouvelle. Donc, il faudrait donner maintenant, donner pour empêcher de si misérablement mourir tous ces malades de là-bas : pères de famille vaillants et jeunes, ou fils de vieilles femmes veuves, ou grands aînés et soutiens de petites nichées à l'abandon, ou désirés de pauvres fiancées en coiffe blanche...

PASSAGE DE CARMENCITA

Ceci se passait, il y a, hélas ! plus de vingt années.

Tout jeune midship, j'avais l'air d'un enfant attaché à la majorité de l'amiral qui commandait alors la station des Mers du Sud.

Je ne me rappelle vraiment plus qui m'avait présenté chez cette amie Carmencita... A Valparaiso, dans ce quartier solitaire, éloigné des quais et des navires, qui s'appelle l'Almendral, elle habitait, au milieu d'un jardin, une belle, maison dont les fenêtres étaient grillées de barreaux de fer suivant l'usage de l'Amérique du Sud. Elle pouvait avoir de trente-cinq à trente-six ans, l'âge de la beauté finissante pour les Espagnoles de cette côte, et, à mes yeux très jeunes d'alors, elle paraissait déjà une personne sans conséquence. Elle ne prétendait pas le contraire, d'ailleurs, malgré ses toilettes élégantes que les paquebots rapides lui apportaient directement de Paris : « Je suis une si vieille fille ! » avait-elle coutume de dire.

Nous nous étions bientôt liés d'une intime amitié dans le sens de ce mot le plus absolument honnête et chaste. Je lui consacrais mes soirées, toutes les heures de liberté que me laissait le service du bord, – et maternellement elle me faisait chaque jour conjuguer mes verbes espagnols. Sa figure fine, un peu jaunie, un peu – oh ! si peu pourtant – parcheminée, consistait en deux yeux exquis, allongés à n'en plus finir, dont les cils frisaient, dont les coins, dès qu'elle souriait, se relevaient à la chinoise. Et je me disais : « Comme elle a dû être jolie ! » Généralement silencieuse, répondant par des demi-mots, des clignements ou des moues, elle était spirituelle comme un singe, avec une nuance de moquerie sans la moindre noirceur.

Elle était très habile à lire dans la main, et volontiers je lui laissais longuement la mienne, ayant toujours quelque question nouvelle à lui poser sur mon avenir.

Dans sa maison, surtout le soir, dès que tombait la nuit, j'éprouvais, malgré les tentures et les meubles d'Europe, des impressions d'exil très lointain : c'était ce quartier isolé, toujours silencieux ; c'était la pensée du long trajet qu'il faudrait faire dans les rues vides pour rejoindre les quais animés de matelots, et la perspective de ces deux kilomètres à parcourir ensuite en embarcation, sur une mer souvent agitée, pour rejoindre mon navire avant minuit, – les midships, sur la côte chilienne, n'ayant pas encore le droit de découcher, ni même de dépasser l'heure de Cendrillon. En plein jour, son jardin me dépaysait aussi beaucoup ; c'étaient pourtant des arbustes à petites feuilles et à petites fleurs, qui poussaient là comme dans les pays tempérés qui ont un hiver ; mais tous, nouveaux pour moi, inconnus : plantes de l'hémisphère austral, soumises au froid d'un hiver inverse du nôtre…

Un de ses grands moyens de charmer était la musique. Elle avait des doigts merveilleux ; elle jouait surtout Liszt d'une façon tourmentée et délicieuse, où se mêlait une certaine étrangeté exotique. Je lui demandais souvent aussi des habaneras, des séguidilles, toutes sortes de danses espagnoles ou chiliennes. Et, une fois, comme elle m'en jouait une dont le rythme me semblait nouveau, je lui demandai ce que c'était ?

Ça… dit-elle ! Une Sema-Couëque_ !… La danse d'ici !… Comment, vous ne connaissiez pas ?…

Plus tard, je devais souvent voir cette Sema-Couëque, chez les jolies Cholas (qui sont des métisses de sang espagnol et indien). Mais pour le moment, non ; je ne l'avais pas pratiquée encore.

– Oh ! continua-t-elle ; eh bien, nous allons vous la danser, et même vous l'apprendre.

Vite, elle manda Juanita, Mercédès et Pilar (quinze à dix-huit ans), ses trois nièces, qui demeuraient au bout du jardin avec leur mère. Et, quand furent en place les danseuses, tenant chacune, au bout d'un bras levé, son mouchoir à la main, brusquement elle se leva encore du piano où elle allait jouer cette Sema-Couëque :

– Oh ! dit-elle, il faut chanter plutôt, chanter comme les Cholas, et moi je vais vous faire le tambourin.

Les petites chantèrent en se balançant, et, elle, l'œil changé, l'œil presque indien, tapait sur le bois sonore de la table d'harmonie, avec ses petites mains sèches qui semblaient devenues des bâtons, marquait le pan pan ! pan pan ! saccadé de la Sema-Couëque.

Pour que ce fût complet, ce soir-là, on servit même le mathé, qui est une infusion traditionnelle de l'Amérique du Sud et que l'on boit à l'aide d'un tube de roseau.

J'eus vite fait d'apprendre. Et cela devint de tradition pour nos fins de soirées, auxquelles assistaient toujours Pilar, Mercédès et Juanita : « Si nous dansions la Sema-Couëque__ ! »

Une fois, la veille de quitter le Chili et de partir pour la Polynésie, je voulus qu'elle dansât elle-même :

– Oh ! dit-elle, une si vieille fille comme je suis !… Vraiment, Pilar, est-ce possible, ce qu'il me demande ?

– Monsieur, répondit Pilar, personne à Valparaiso ne danse comme tante Carmencita !

Avec une grâce souple et légère, elle se mit à danser. D'abord sa taille mince se balança sur ses hanches qui ne se déplaçaient presque pas, agitées à peine d'un petit mouvement rythmé. Puis, tout à coup, elle partit comme envolée à la cadence étrange, et tourbillonna.

Alors, pour la première fois, il me parut qu'elle était jeune…

Nous nous revîmes dix-huit mois après, à mon retour d'Océanie. Escale courte et mélancolique, avant le départ pour la France, les grands adieux. Je la trouvai vieillie, – surtout après ces Tahitiennes si jeunes, auxquelles je venais de m'habituer. En mon absence, ses cheveux s'étaient mêlés de fils argentés, et une de ses jolies dents blanches avait été dorée.

Dans son jardin, les plantes australes perdaient leurs feuilles : on était en avril, le commencement de l'automne, là-bas…

Nous nous quittâmes, nous promettant de nous écrire.

Puis, avec le temps, les lettres s'espacèrent – et, je ne sais comment, finirent. Vingt-trois ans, c'est une telle éternité !...

De plus en plus rarement, je songeais aux Mers du Sud, à Valparaiso, à l'Almendral, me disant : « Elle est vieille aujourd'hui, ma pauvre Carmencita, courbée peut-être, avec une chevelure blanche... »

Et, cette nuit, voici que j'ai rêvé d'elle. J'ai revu la maison de l'Almendral, le salon d'autrefois, au crépuscule gris ; Carmencita, dans un fauteuil, blanchie, toute caduque. J'ai dit : Si nous dansions une Sema-Couëque ! Et, d'un geste triste, elle m'a montré des manteaux et des châles de vieille dont elle était jusqu'au menton enveloppée.

Dans mon rêve, alors tout à coup l'heure a sonné de rentrer à bord de ma frégate qui allait partir. J'étais même en retard ; j'avais un long trajet à faire à travers la ville obscure, dans des quartiers de gens du peuple, où des quantités de Cholas dansaient la Sema-Couëque, rieuses, moqueuses ; les bras nus qui agitaient les mouchoirs à chaque instant se rejoignaient pour me faire une troublante barrière et retarder ma course. Enfin, la vision s'est éteinte dans la nuit, du silence et du rien, comme j'atteignais les bords d'une mer sombre où personne ne dansait plus...

Ce matin, à la reprise de la vie réelle, j'ai retrouvé le souvenir de Carmencita très vivant, comme il arrive toujours pendant les premières heures après qu'on a rêvé de quelqu'un. J'avais surtout une mélancolie en songeant à sa beauté passée, à sa forme perdue. Et c'était pour la première fois, après vingt-trois ans, comme l'éveil de je ne sais quoi de tendre qui sommeille toujours, même imprécis et inavoué, au fond des amitiés que l'on a pour les femmes lorsqu'elles sont jolies ou finissent à peine de l'être.

LE MUR D'EN FACE

Tout au fond d'une cour, elles habitaient un modeste petit logis, la mère, la fille, et une parente maternelle déjà bien âgée – leur tante et grand'tante – qu'elles venaient de recueillir.

La fille était encore très jeune, dans l'éphémère fraîcheur de ses dix-huit ans, lorsqu'elles avaient dû, après des revers de fortune, s'enfermer là, au recoin le plus retiré de leur maison familiale. Le reste de la chère demeure, tout le côté vivant qui regardait la rue, il avait fallu le louer à des étrangers profanateurs, qui y changeaient les aspects des anciennes choses et y détruisaient les souvenirs.

Une vente judiciaire les avait dépouillées des meubles plus luxueux d'autrefois, et elles avaient arrangé leur nouveau petit salon de recluses avec des objets un peu disparates : reliques des aïeules, vieilleries exhumées des greniers, des réserves de la maison. Mais tout de suite elles l'avaient aimé, ce salon si humble, qui devait maintenant, pendant des années, les réunir toutes trois auprès d'un même feu et d'une même lampe, aux veillées des hivers. On s'y trouvait bien ; il avait un air familial et intime. On s'y sentait un peu cloîtré, c'est vrai, mais sans tristesse, car les fenêtres, garnies de simples rideaux de mousseline, donnaient sur une cour ensoleillée dont les murs très bas étaient garnis de chèvrefeuilles et de roses.

Et déjà elles oubliaient le confort, le luxe d'autrefois, heureuses de leur salon modeste, quand un jour une communication leur fut faite, qui les laissa dans la consternation morne : le voisin allait élever de deux étages son logis ; un mur allait monter là, devant leurs fenêtres, enlever l'air, cacher le soleil…

Et aucun moyen, hélas ! de conjurer ce malheur, plus intimement cruel à leurs âmes que tous les précédents désastres de fortune. Acheter cette maison du voisin, ce qui eût été facile au temps de leur aisance passée, il n'y fallait plus songer ! Rien à faire, dans leur pauvreté, qu'à courber la tête.

Donc, les pierres commencèrent de surgir, assise par assise ; avec angoisse, elles les regardaient s'élever ; un silence de deuil régnait entre elles, dans le petit salon, de jour en jour attristé, à mesure que montait cette chose obscurcissante. Et dire que cette chose-là, toujours plus haute, remplacerait bientôt le fond de ciel bleu ou de nuages d'or sur lequel se détachait jadis le mur de leur cour avec sa chevelure de branches !...

En un mois, les maçons eurent achevé leur œuvre : c'était une surface lisse, en pierres de taille, qui fut peinte ensuite d'un blanc grisâtre, simulant presque un ciel crépusculaire de novembre, perpétuellement opaque, invariable et mort ; – et aux étés suivants, les rosiers, les arbustes de la cour reverdirent plus étiolés à son ombre.

Dans le salon, les chauds soleils de juin et de juillet pénétraient encore, mais plus tardifs le matin, plus vite enfuis le soir ; les crépuscules d'arrière-saison tombaient une heure plus tôt, amenant tout de suite les pénétrantes tristesses grises.

Et le temps, les mois, les saisons coulèrent. Entre chien et loup, aux heures indécises des soirs, quand les trois femmes quittaient l'une après l'autre leur ouvrage de broderie ou de couture, avant d'allumer la lampe de veillée, la jeune fille – qui bientôt ne serait plus jeune – levait toujours les yeux vers ce mur, dressé là au lieu de son ciel de jadis ; souvent même, par une sorte de mélancolique enfantillage, qui constamment lui revenait comme une manie de prisonnière, elle s'amusait à regarder, d'une certaine place, les branches des rosiers, la tête des arbustes se détacher sur ce fond grisâtre des pierres peintes, et cherchait à se donner l'illusion que ce fond-là était un ciel, un ciel plus bas et plus proche que le vrai, – dans le genre de ceux qui, la nuit, pèsent sur les visions déformées des songes.

Elles avaient en espérance un héritage dont elles parlaient souvent autour de leur lampe et de leur table de travail, comme d'un rêve, comme d'un conte de fée, tant il semblait lointain.

Mais, quand on la tiendrait, cette succession d'Amérique, à n'importe quel prix on achèterait la maison du voisin, pour démolir toute la partie nouvelle, rétablir les choses comme au temps passé, et rendre à leur cour, rendre aux chers rosiers des murailles le soleil d'autrefois. Le jeter bas, ce mur, c'était devenu leur seul désir terrestre, leur continuelle obsession.

Et la vieille tante avait coutume alors de dire :

– Mes chères filles, Dieu permette que je vive assez longtemps, moi, pour voir ce beau jour !...

Il tardait bien à venir, leur héritage.

Les pluies, à la longue, avaient tracé sur la surface lisse une sorte de zébrure noirâtre, triste, triste à voir, formant comme un V, ou comme la silhouette trouble d'un oiseau qui plane. Et la jeune fille contemplait cela longuement, tous les jours, tous les jours...

Une fois, à un printemps très chaud, qui, malgré l'ombre du mur, avait fait les roses plus hâtives que de coutume et plus épanouies, un jeune homme parut dans ce fond de cour, prit place pendant quelques soirs à la table des trois dames sans fortune. De passage dans la ville, il avait été recommandé par des amis communs, non sans arrière-pensée de mariage. Il était beau, avec un visage fier, bruni par les grands souffles marins...

Mais il le jugea trop chimérique, l'héritage ; il la trouva trop pauvre, la jeune fille, dont le teint commençait d'ailleurs à beaucoup pâlir faute de lumière.

Donc, il repartit sans retour, lui qui avait là, pour un temps, représenté ce soleil, la force et la vie. Et celle qui déjà s'était cru sa fiancée reçut de ce départ un muet et intime sentiment de mort.

Et les années monotones continuèrent leur marche, comme les impassibles fleuves ; il en passa cinq ; il en passa dix, quinze et même vingt. La fraîcheur de la jeune fille sans dot peu à peu acheva de s'en aller, inutile et dédaignée ; la mère prit des cheveux blancs ; la vieille tante devint infirme, branlant la tête, octogénaire dans un fauteuil fané, éternellement assise à sa même place, près de la fenêtre obscurcie, son profil vénérable se découpant sur les feuillages de la cour, au-dessous de ce fond de muraille unie, où s'accentuait la marbrure noirâtre, en forme d'oiseau, tracée par les lentes gouttières.

En présence du mur, de l'inexorable mur, elles vieillirent toutes les trois. Et les rosiers, les arbustes vieillirent aussi, de leur moins sinistre vieillesse de plantes, avec encore des airs de rajeunissement à chaque renouveau.

– Oh ! mes filles, mes pauvres filles, disait toujours la tante, de sa voix cassée qui ne finissait plus les phrases, pourvu que je vive assez longtemps, moi...

Et sa main osseuse, avec un geste de menace, désignait l'oppressante chose de pierre.

Elle était morte depuis une dizaine de mois, laissant un vide affreux dans le petit salon des recluses, et on l'avait pleurée comme la plus chérie des grand'mères, quand l'héritage arriva enfin, très bouleversant, un jour où l'on n'y pensait plus.

La vieille fille, – quarante ans sonnés maintenant, – se retrouva toute jeune, dans sa joie d'entrer en possession de la fortune revenue.

On chasserait les locataires, bien entendu, on se réinstallerait comme avant ; mais de préférence, on se tiendrait à l'ordinaire dans le petit salon des temps de médiocrité : d'abord il était maintenant rempli de souvenirs, et puis d'ailleurs il redeviendrait d'une gaîté ensoleillée, dès qu'on aurait abattu ce mur emprisonnant, qui n'était plus aujourd'hui qu'un vain épouvantail, si facile à détruire à coups de louis d'or.

Elle eut enfin lieu, cette chute du mur, désirée depuis vingt mornes années. Elle eut lieu un avril, au moment des premiers souffles tièdes, des premières soirées longues. Très vite cela s'accomplit, au milieu d'un tapage de pierres qui tombaient, d'ouvriers qui chantaient, dans un nuage de plâtras et de vieille poussière.

Et, au déclin de la seconde journée, quand ce fut terminé, les ouvriers partis, le silence revenu, elles se retrouvèrent assises à leur table, la mère et la fille, étonnées d'y voir si clair, de n'avoir plus besoin de lampe pour commencer le repas du soir. Comme en un étrange retour de temps antérieurs, elles regardaient les rosiers de leur cour s'étaler à nouveau sur le ciel. Mais, au lieu de la joie qu'elles en avaient attendue, c'était d'abord un indéfinissable malaise : trop de lumière tout à coup dans leur petit salon, une sorte de resplendissement triste, et la notion d'un vide inusité au dehors, d'un immense changement… Il ne leur venait point de paroles, en présence de l'accomplissement de leur rêve ; absorbées l'une et l'autre, prises d'une croissante mélancolie, elles restaient là sans causer, sans toucher au repas servi. Et peu à peu, leurs deux cœurs se serrant davantage, cela devenait comme de la détresse, comme l'un de ces regrets noirs et sans espérance que nous laissent les morts.

Quand la mère enfin s'aperçut que les yeux de sa fille commençaient à s'embrumer de pleurs, devinant les pensées inexprimées qui devaient si bien ressembler aux siennes :

– On pourrait le rebâtir, dit-elle. Il me semble qu'on pourrait essayer, n'est-ce pas, de le refaire pareil ?…

– J'y songeais moi aussi, répondit la fille… Mais non, vois-tu : ce ne serait plus le même !…

Mon Dieu ! comment cela se pouvait-il ; c'était elle, c'était bien elle qui l'avait décrété, l'anéantissement de ce fond de tableau familier, au-dessous duquel, pendant un printemps, elle avait vu se détacher certain beau visage de jeune homme, et, pendant de si nombreux hivers, un profil vénéré de vieille tante morte…

Et tout à coup, au souvenir de ce vague dessin en forme d'ombre d'oiseau, tracé là par de patientes gouttières, et qu'elle ne reverrait jamais, jamais, jamais, son cœur fut déchiré soudainement d'une manière plus affreuse ; elle pleura les larmes les plus sombres de sa vie, devant l'irréparable destruction de ce mur.

UN VIEUX MISSIONNAIRE D'ANNAM

Là-bas, dans le sinistre pays jaune d'Extrême Orient, pendant la mauvaise période de la guerre, depuis des semaines notre navire, un lourd cuirassé, stationnait à son poste de blocus, dans une baie de la côte.

Avec la terre voisine, – montagnes invraisemblablement vertes ou rizières unies comme des plaines de velours, – nous communiquions à peine. Les gens des villages et des bois restaient chez eux, méfiants ou hostiles. Une accablante chaleur tombait sur nous, d'un ciel morne, presque toujours gris, que voilaient de continuels rideaux de plomb.

Certain matin, pendant mon quart, le timonier de veille vint me dire :

– Il y a un sampan, cap'taine, qui arrive du fond de la baie et qui a l'air de vouloir nous accoster.

– Ah ! et qu'est-ce qu'il y a dedans ?

Indécis, avant de répondre, il regarda de nouveau avec sa longue-vue :

– Il y a, cap'taine… une manière de bonze, de Chinois, de je ne sais pas quoi, qui est assis tout seul à l'arrière.

Sans hâte, sans bruit, il s'avançait, le sampan, sur l'eau inerte, huileuse et chaude. Une jeune fille à visage jaune, vêtue d'une robe noire, ramait debout pour nous amener ce visiteur ambigu, qui portait bien le costume, la coiffure et les lunettes rondes des bonzes d'Annam, mais qui avait de la barbe et une surprenante figure pas du tout asiatique.

Il monta à bord et vint me saluer en français, parlant d'une façon timide et lourde.

– Je suis un missionnaire, me dit-il, je suis de la Lorraine, mais j'habite depuis plus de trente ans un village qui est ici, à six heures de marche dans les terres et où tout le monde s'est fait chrétien... Je voudrais parler au commandant pour lui demander du secours. Les rebelles nous ont menacés et ils sont déjà près de chez nous. Tous mes paroissiens vont être massacrés, c'est très certain, si l'on ne vient pas bien promptement à notre aide !

Hélas ! le commandant fut obligé de refuser le secours. Tout ce que nous avions d'hommes et de fusils avait été envoyé dans une autre région ; il nous restait, en ce moment, juste le nombre de matelots nécessaires pour garder le navire ; vraiment, nous ne pouvions rien pour ces pauvres « paroissiens-là », et il fallait les abandonner comme chose perdue.

Maintenant, arrivait l'heure accablante de midi, la torpeur quotidienne qui suspend partout la vie. Le petit sampan et la jeune fille s'en étaient retournés à terre, venant de disparaître là-bas, dans les malsaines verdures de la rive, et le missionnaire nous restait – naturellement – un peu taciturne, mais ne récriminant pas.

Il ne se montra guère brillant, le pauvre homme, pendant le déjeuner qu'il partagea avec nous. Il était devenu tellement Annamite, qu'aucune conversation ne semblait possible avec lui. Après le café, il s'anima seulement quand parurent les cigarettes, et il demanda du tabac français pour bourrer sa pipe ; depuis vingt ans, disait-il, pareil plaisir lui avait été refusé. Ensuite, s'excusant sur la longue route qu'il venait de faire, il s'assoupit sur des coussins.

Et dire que nous allions sans doute le garder plusieurs mois, jusqu'à son rapatriement, cet hôte imprévu que le ciel nous envoyait ! Ce fut sans enthousiasme, je l'avoue, que l'un de nous vint enfin lui annoncer de la part du commandant :

– On vous a préparé une chambre, mon Père. Il va sans dire que vous êtes des nôtres jusqu'au jour où nous pourrons vous déposer en lieu sûr.

Il parut ne pas comprendre.

– Mais… j'attendais la tombée de la nuit pour vous demander un petit canot et me faire reconduire là-bas, au fond de la baie. Avant la nuit vous pourrez bien me faire porter à terre, au moins ? reprit-il avec inquiétude.

– A terre !… Et que feriez-vous à terre ?

– Mais, je retournerai dans mon village, dit-il avec une simplicité tout à fait sublime. Ah ! je ne peux pas dormir ici, vous comprenez bien… Si c'était pour cette nuit, l'attaque !

Voici qu'il grandissait à chaque mot, cet être d'un premier aspect si vulgaire, et nous commencions à l'entourer avec une curiosité charmée.

– Cependant, c'est vous qui serez le moins épargné de tous, mon Père ?

– Oh ! c'est bien probable, en effet, répondit-il, tranquille et admirable comme un martyr antique.

Dix de ses paroissiens l'attendaient sur la plage au coucher du soleil ; tous ensemble, ils retourneraient la nuit au village menacé, et alors, à la volonté de Dieu !

Et comme on le pressait de rester, – car c'était courir à la mort, à quelque atroce mort chinoise, que de s'en retourner là-bas après ce refus de secours, – il s'indigna doucement, obstiné, inébranlable, mais sans grandes phrases et sans colère :

– C'est moi qui les ai convertis, et vous voulez que je les abandonne quand on les persécute pour leur foi ? Mais ce sont mes enfants, vous comprenez bien !…

Avec une certaine émotion, l'officier de quart fit préparer un de nos canots pour le reconduire, et nous allâmes tous lui serrer la main à son départ. Toujours tranquille, redevenu insignifiant et muet, il nous confia une lettre pour un vieux parent de Lorraine, prit une petite provision de tabac français, puis se mit en route.

Et, tandis que le jour baissait, nous restâmes longtemps à regarder en silence s'éloigner, sur l'eau lourde et chaude, la silhouette de cet apôtre qui s'en allait simplement à son martyre obscur.

Nous appareillâmes la semaine suivante, pour je ne sais plus où, et les événements, à partir de cette époque, nous bousculèrent sans trêve. Jamais nous n'entendîmes plus parler de lui, et je crois que, pour ma part, je n'y aurais jamais repensé, si monseigneur Morel, directeur des missions catholiques, ne m'avait demandé un jour avec instance d'écrire une petite histoire de missionnaire.

TROIS JOURNEES DE GUERRE EN ANNAM

I
A BORD

17 août 1883.

L'escadre se réunit dans la baie de Tourane. L'attaque des forts et de la ville de Hué sera pour demain.

Aucune communication avec la terre. La journée se passe en préparatifs. Le thermomètre marque 33°, 5 au vent et à l'ombre. De hautes montagnes entourent la baie, rappelant les Alpes, moins leurs neiges. Dans le lointain, sur une langue de sable, on aperçoit la ville de Tourane : un assemblage de huttes basses, en bois et en roseaux. On s'occupe à bord d'équiper les hommes des compagnies de débarquement, de leur délivrer à chacun vivres, munitions, sac, bretelle de fusil, etc., même de leur faire essayer leurs souliers. Les matelots sont gais comme de grands enfants, à cette idée de débarquer demain, et ces préparatifs semblent absolument joyeux.

Pourtant, les insolations et les fièvres ont déjà fait parmi eux bien des ravages ; de braves garçons, qui tout dernièrement étaient alertes et forts, se promènent tête basse, la figure tirée et jaunie.

Dans l'après-midi, on voit arriver de terre un canot portant des mandarins vêtus de noir, l'un d'eux abrité sous un immense parasol blanc. Ils vont conférer à bord de l'amiral et s'en retournent comme ils étaient venus.

A cinq heures, réunion et conseil des capitaines, à bord du Bayard. Orage et pluie torrentielle.

Les matelots passent la soirée à chanter, plus gaiement que de coutume. On entend même les vieux sons aigres d'un biniou, que des Bretons ont apporté.

Samedi, 18 août.

A neuf heures du matin, l'escadre (Bayard, Atalante, Annamite, Château-Renaud, Drac, Lynx, Vipère) sort en ligne de file de la baie de Tourane, par un temps lumineux et splendide, traverse une légion de jonques de pêcheurs voilées en ailes de papillon, et fait route vers Hué, la capitale de l'Annam.

A deux heures vingt, l'escadre arrive devant l'entrée de la rivière de Hué. Au premier plan, une côte de sable, étincelante dans le soleil, quelques cocotiers aux panaches verts, quelques maisons aux toits arqués dans le goût chinois. Un seul grand fort apparent, gardant l'entrée de la rivière, où la mer brise.

L'escadre s'approche avec précaution, en sondant, mouille le plus près possible, et s'embosse, en hissant les pavillons français, pour commencer le bombardement.

Le fort répond bravement, en hissant le pavillon jaune d'Annam. On dirait un fort moderne, bien construit et casematé, mais on n'y aperçoit pas de canons. Quelques personnages apparaissent aux embrasures, ayant l'air de flâner et de nous regarder fort tranquillement ; leur résistance sans doute ne sera pas sérieuse, et on s'attend à les voir fuir au premier coup de nos canons.

Au-dessus de la ligne brillante des sables, les montagnes forment un fond obscur qui monte très haut dans le ciel, et se découpe en sombre sur la grande lumière bleue.

Cinq heures et demie du soir.

Un premier obus lancé par le Bayard donne le signal du feu. Il tombe en plein sur le fort annamite, soulevant une trombe rougeâtre de sable et de gravier. De tous les bâtiments de l'escadre, le bombardement commence, régulier et méthodique, chacun tirant sur le point précis qui lui a été indiqué hier. Quelques minutes se passent, et, à terre, rien ne bouge ; vraisemblablement les Annamites se sont sauvés.

Mais voici tout à coup de petites lueurs rapides, qui éclatent aux embrasures du fort, accompagnées de fumées blanches ; c'est la riposte, on tire sur nous.

Il y a même, ailleurs, des canons en quantité, de petites batteries qu'on ne voyait pas, qui étaient échelonnées tout le long de la côte dans le sable, et qui font feu tant qu'elles peuvent.

Mais ce sont des boulets ronds, qui ne portent pas jusqu'à nous. Ils tombent à moitié route, en laissant des remous dans l'eau. Les avisos seuls, qui se sont approchés davantage, peuvent en recevoir par raccroc quelques-uns ; – les cuirassés, trop éloignés, les regardent venir sans crainte ; on les voit sautiller sur l'eau, en faisant des ricochets, comme des paumes d'enfant, et puis disparaître en chemin.

Bientôt de grandes flammes rouges commencent à monter, derrière le fort de Thouane-An ; c'est un incendie que nos obus ont allumé là-bas, ce sont des villages qui flambent ; cela gagne vite, et cela monte très haut, avec une épaisse fumée.

Le bombardement continue. Malgré le roulis qui gêne notre tir, les obus pleuvent sur les Annamites, chavirant tout ; mais eux tiennent toujours et précipitent leur feu. Assurément, ils sont braves.

Sept heures du soir.

La nuit est presque venue ; c'est la lueur du village brûlé qui nous guide pour notre tir. Des nuages très épais se sont amoncelés sur les montagnes de l'Annam ; cela forme un immense fond noir, avec des éclairs qui se promènent dessus ; en bas, au ras de la mer, toujours les petites lueurs rapides des canons tirant sur nous. Une grosse lune jaune, qui se lève très embrouillée de nuages, éclaire mal la situation ; – on commence à ne plus rien voir. L'amiral, signale de cesser le feu, et tout se tait.

Mais les Annamites ont riposté jusqu'à la fin, avec une force de résistance inattendue, et les pavillons du roi Tu-Duc flottent toujours sur la plage.

C'est demain matin, dimanche, au petit jour, que nous devons tenter le débarquement de vive force ; – on a préparé, avec des bambous, les ponts, les radeaux, tout le matériel nécessaire. Les matelots ont toujours leur entrain insouciant ; – mais les gens raisonnables se préoccupent un peu de ce coup de main, avec si peu de monde, au milieu des brisants, sur une plage garnie de canons et de soldats. Vu de près, cela semble moins facile qu'hier, quand on en causait à Tourane.

Dimanche 19 août.

Branle-bas à quatre heures du matin, Les compagnies de débarquement prennent à la hâte les armes, les munitions, les vivres. On embarque dans les canots les pièces de campagne et les canons-revolvers.

Cinq heures et demie.

Contre-ordre de l'amiral, débarquement ajourné. Des baleinières de l'escadre sont allées dans la nuit à la plage examiner les brisants qui sont trop dangereux aujourd'hui. Avant le soleil levé, les hommes sont désarmés, le matériel ramassé, et l'on commence à bord des navires, comme si de rien n'était, le grand lavage traditionnel du dimanche.

Au petit jour, l'air est si pur qu'on distingue à terre, jusque dans les lointains, les moindres détails des choses.

Les longues-vues sondent le fond de la rivière de Hué : de grands arbres, des palmiers verts, et, de distance en distance, des pavillons d'Annam, indiquant des forts et des batteries. On n'aperçoit rien de la ville, où, prétend-on, la tête du pauvre commandant Rivière serait encore exposée en place publique, au bout d'une perche.

Voici un mouvement de troupes sur le sable de la plage, Des gens sortent du fort de Thouane-An, que nous avons bombardé hier ; ils sont habillés de noir et coiffés de grands chapeaux chinois blancs, en forme de champignon : on voit leurs armes briller au soleil : ce sont des soldats de l'armée régulière du roi Tu-Duc. Ils commencent à traverser la rivière sur un bac, pour se concentrer en face dans un fort de la rive sud. Le Bayard leur envoie des obus ; il en résulte des paniques, des chutes dans l'eau ; on les voit courir comme des fous sur le sable. Mais le mouvement continue toujours, et les forts annamites se mettent à nous riposter.

Ce matin, à notre surprise, leurs projectiles arrivent jusqu'à nous et sifflent en l'air avec un bruit pareil à celui des nôtres. Evidemment, ce sont des pièces rayées qui nous les envoient. Ils n'en avaient pas hier, ils ont dû les établir pendant la nuit.

Un projectile traverse la hune de la Vipère, un autre enfonce les tôles du Bayard, et frappe un matelot dans la poitrine. Alors, au signal de l'amiral, le bombardement général recommence.

Pas de roulis aujourd'hui ; les pièces de l'escadre, parfaitement pointées, portent toutes en plein sur les batteries annamites, qui doivent être écrasées. A chacun de nos coups, on voit voler des tourbillons de sable et de pierres. Leur feu ne tient pas dix minutes. Au haut d'une demi-heure, nous cessons aussi le nôtre, la terre ne ripostant plus.

Il est onze heures. Ce sera une journée de repos pour les matelots, qui en ont besoin ; on donne à bord le coup de sifflet bien connu :. « L'équipage aux sacs, les jeux sont permis ! » Les batteries de l'escadre, salies par la poudre, la fumée, l'eau boueuse des écouvillons, n'ont pas leur aspect habituel, leur réjouissante propreté du dimanche ; mais il y passe aujourd'hui une bonne brise de mer, pas trop chaude, très respirable. Au lieu de prendre leurs sacs, les matelots, fatigués par quelques journées de travail excessif et de veilles, se couchent à plat pont et s'endorment. Les bâtiments deviennent silencieux comme de grands dortoirs.

A huit heures du soir, conseil de guerre à bord du Bayard. – Les brisants se sont beaucoup calmés ; les forts annamites, deux fois bombardés, ne doivent plus être en état d'opposer une résistance très longue ; le débarquement est décidé pour demain matin, et les marins se couchent bien vite, afin d'avoir un peu le temps de dormir avant le branle-bas qu'on doit leur faire à quatre heures.

Les officiers du corps de débarquement sont désignés d'avance d'après certaines règles fixes, d'après leur ancienneté et leurs fonctions à bord ; ceux qui doivent rester pour la manœuvre et le service des batteries sont donc préparés depuis longtemps à cette privation et l'acceptent sans murmures.

Pour les matelots, il y a plus d'arbitraire ; bien des gabiers, qui n'avaient pas été désignés d'abord, ont réussi aujourd'hui à se substituer à d'autres moins dégourdis qu'eux, et partiront à leur place. Il s'agit demain matin de s'emparer de toute la rive gauche de la rivière de Hué, qui est la partie la plus sérieusement fortifiée de la côte. Indépendamment des petites batteries disposées çà et là dans le sable, il y a le grand fort circulaire du Sud qui garde l'entrée de cette rivière avec une quarantaine d'embrasures à canons ; puis, la batterie du Magasin-au-Riz, et enfin, en remontant toujours vers le nord-ouest, le fort extrême du nord. Tous, plus ou moins abîmés par les obus, mais sans doute réparés pendant la nuit et capables encore de recommencer le feu.

Nuit splendide. Les bâtiments de l'escadre promènent sur la terre de grands jets de lumière électrique qui doivent effrayer beaucoup les Annamites. Pendant ce temps-là, les baleinières françaises sondent l'entrée de la rivière, et explorent les brisants de la plage.

Lundi 20 août, quatre heures du matin.

Branle-bas. – Nuit close. Le corps de débarquement déjeune à la hâte, s'arme, prend ses munitions et deux jours de vivres. Quelques poignées de main, quelques petites recommandations échangées entre ceux qui partent et ceux qui restent ; – puis, on s'embarque dans les canots. Toutes les pièces de l'escadre sont pointées sur la côte, prêtes à faire feu.

Cinq heures trente.

Au petit jour, les pavillons français sont hissés en tête de chaque mât ; le vacarme du bombardement recommence. La terre ne répond pas. Les dunes font tout le long de l'horizon une ligne blanche ; les montagnes d'Annam dessinent au-dessus, dans le ciel qui s'éclaire, de hautes découpures violettes.

Cinq heures cinquante.

Toute la flottille des canots se met en marche. Temps très pur, absolument calme. Le soleil se lève sous de petits nuages couleur d'or. Le jour est venu tout d'un coup, comme il est de règle dans les pays des tropiques. Tous les détails des montagnes s'accentuent en rose et en bleu. On voit, au-dessus des dunes, les cocotiers verts, les batteries, les villages, les pagodes, les maisons aux toits ornés de découpures. Dans tout cela rien ne bouge, et nos obus semblent tomber sur un pays abandonné.

Six heures vingt.

Les compagnies de débarquement du Bayard et de l'Atalante arrivent à la plage, commencent à mettre pied à terre par les brisants, en se mouillant beaucoup. Un instant d'anxiété : des navires de l'escadre, on distingue nettement des rangées de têtes annamites qui apparaissent au-dessus des dunes et que les marins débarqués ne peuvent pas voir ; ces gens les attendent là, dans des tranchées. Le Lynx, le plus rapproché, leur envoie un feu de salve qui semble en abattre une vingtaine ; les autres se baissent.

C'est près du fort du Nord, en face d'un village, qu'a lieu ce débarquement. Tout à coup, de derrière les dunes, part une pluie de bombettes enflammées, avec quelques projectiles et des morceaux de ferraille. Personne n'est blessé. Les bombettes sont presque inoffensives, elles retombent tout doucement sur le sable comme de petits météores. Les matelots montent en courant sur les dunes, rencontrent les Annamites dans la tranchée, font feu sur eux, puis les chargent à la baïonnette. Instantanément, toute cette première bande jaune est en fuite. Un millier d'hommes, peut-être, se sauvent devant cette poignée de matelots. La compagnie de débarquement de l'Atalante court sur le fort du Nord. Des Annamites en sortent brusquement, s'avancent, font feu sans tuer personne, puis reculent et se sauvent.

Six heures quarante.

La compagnie de l'Atalante est dans le fort du Nord. Le pavillon annamite est amené et le premier pavillon français hissé à sa place par le lieutenant de vaisseau Poidloüe, commandant la compagnie. Les marins poursuivent les Annamites dans la direction du nord-ouest.

Sept heures.

L'artillerie de débarquement et le premier groupe d'infanterie de marine mettent pied à terre. Les canots reviennent pour faire un second transport. Une nouvelle batterie annamite, établie dans le sable, ouvre le feu contre la Vipère qui lui répond. Les obus ont mis le feu au village nord, qui commence à flamber.

Sept heures trente.

La batterie annamite du Magasin-au-Riz ouvre le feu. Les obus ont allumé un second incendie, celui-ci magnifique : village, pagode, tout brûle avec d'immenses flammes rouges et des tourbillons de fumée.

Sept heures quarante.

Le second convoi d'infanterie de marine met pied à terre ; toute l'artillerie est débarquée et hissée sur la crête des dunes. Les troupes françaises se massent, perpendiculairement à la plage, face au sud, se disposant à marcher sur les grands forts.

Sept heures cinquante.

Un incendie est allumé par les obus de l'escadre dans le fort circulaire du Sud. Toutes les troupes françaises sont massées ; l'artillerie de débarquement ouvre le feu contre les forts. Au nord, toutes les maisons brûlent.

Huit heures.

Les troupes françaises se divisent et se portent en avant vers le sud.

Huit heures trente-cinq.

Les premiers groupes français arrivent, peu nombreux, à la batterie du Magasin-au-Riz, et font un feu précipité.

Huit heures quarante.

Ils reculent de quelques pas et s'abritent : le fort circulaire tire sur eux. L'escadre accélère le bombardement

Huit heures quarante-cinq.

Le corps de débarquement signale de terre au vaisseau amiral (au moyen de pavillons de timonerie hissés à une perche) : « Demande de cesser le feu sur les forts. » Le vaisseau amiral répond en signalant à l'escadre : « Cessez le feu ! »

Huit heures cinquante.

Un moment de serrement de cœur pour ceux qui regardent du bord : les Annamites sortent en masse du Magasin-au-Riz et font un feu assez rapide contre les premiers groupes français, qui reculent et se jettent tous à terre, dans le sable.

Huit heures cinquante-cinq.

On recommence à respirer. Tous les Français se sont relevés. Pas un n'est blessé sans doute, car ils courent tous ; ils courent sur les Annamites sans leur laisser le temps de recharger leurs armes. D'ailleurs, des renforts de matelots et de soldats d'infanterie de marine leur arrivent par derrière. Les Annamites se sauvent à toutes jambes, toujours vers le sud, et ils se réfugient dans un pâté de maisons sur lequel leur pavillon flotte. Les Français courent après eux.

Neuf heures.

De l'escadre, on ne voit pas bien ce qui se passe, au milieu de ces maisons et de ces arbres. On y entend une fusillade très vive, et le pavillon d'Annam tombe. Les Français continuent de courir en avant, vers le fort circulaire du sud. Le soleil commence à beaucoup monter et la chaleur devient terrible.

Neuf heures cinq.

On entend l'artillerie française, qui est arrivée à Thouane-An (le dernier village au sud), faire feu, tout près du fort circulaire. Le village de Thouane-An s'allume brusquement d'un seul coup et se met à flamber comme un immense feu de paille.

Neuf heures dix.

Les Français sont entrés par deux côtés à la fois dans le grand fort circulaire que les obus de l'escadre ont déjà rempli de morts. – Les derniers Annamites qui s'y étaient réfugiés se sauvent, dégringolent des murs, absolument affolés : quelques-uns se jettent à la nage, d'autres essayent de passer la rivière dans des barques, ou à gué, pour se réfugier sur la rive du sud. Ceux qui sont dans l'eau essaient de se couvrir naïvement avec des nattes, des boucliers d'osier, des morceaux de tôle. Les marins cessent de tirer, par pitié, et les laissent fuir ; il y aura bien assez de cadavres dans le fort, à déblayer ce soir avant l'heure de se coucher.

Le grand pavillon jaune d'Annam, qui flottait depuis deux jours, est amené, et le pavillon français monte à sa place. – C'est fini ; toute la rive nord est prise, balayée, brûlée. En somme, une matinée, heureuse et glorieuse, admirablement conduite.

Du côté des Annamites, environ six cents morts jonchent les chemins et les villages.

De notre côté, une dizaine de blessés à peine, pas un mort, pas même une blessure désespérée.

Neuf heures quinze.

Le Bayard, vaisseau-amiral, fait monter ses hommes dans les haubans et crier : « Hurrah ! » – Tous les bâtiments de l'escadre imitent l'amiral.

Et puis, partout, le calme se fait. – On va se reposer du moins jusqu'à ce soir.

Les troupes débarquées demandent à l'escadre du vin et de l'eau qu'on leur envoie, et puis s'installent à l'ombre.

On était admirablement placé à bord pour suivre de haut et comme sur un plan tous les mouvements de l'attaque. Maintenant, avec les longues-vues, on distingue les détails, les costumes, les attitudes, les épisodes.

Un gabier se promène gravement, le long de la plage, sous un grand parasol de mandarin.

Un Annamite, qui jouait le mort sur le sable, est rencontré par un matelot porteur d'un baril, qui le menace du doigt comme on menace les gamins. L'Annamite lui fait humblement tchin tchin et lui embrasse les pieds, demandant grâce.

Le matelot a bon cœur et se laisse toucher :

– Seulement, par exemple, tu vas porter mon baril.

Il lui place l'objet sur les épaules et s'en fait accompagner comme d'un groom.

Plus un souffle dans l'air. L'accablement de midi commence à régner partout. La mer immobile brille et chauffe par en dessous comme un miroir. La ligne des dunes est sous le soleil d'une blancheur fatigante ; deux ou trois cadavres annamites se dessinent sur le sable ; des moutons et des porcs, chassés par les incendies, passent sur eux en courant ; un pauvre chien qui, sans doute, n'a plus de maître, galope de droite et de gauche, ayant l'air d'avoir perdu la tête. Derrière les sables, les montagnes d'Annam pâlissent sous une espèce de buée chaude, et le bleu du ciel est comme terni de chaleur.

On n'entend plus rien. Seulement les villages brûlent toujours avec de longues flammes très rouges ; leurs fumées montent tout droit, à d'étonnantes hauteurs, tant l'air est calme ; au milieu de tout cet éblouissement de bleu, elles ressemblent à de gigantesques colonnes noires.

Encore une petite canonnade vers trois heures du soir. L'escadre a changé de mouillage et est venue se poster en face de l'embouchure de la rivière. Les forts annamites de la rive sud tirent sur la Vipère et le Lynx qui sont allés mouiller tout près de la barre, pour être en position de la franchir demain matin. L'escadre riposte, et le feu cesse.

La nuit est absolument calme. On voit, tout le long de la côte, la lueur des villages annamites, qui flambent au clair de lune jusqu'au matin.

Autour de ces feux, il doit se passer de curieuses choses. Mais ils sont très lointains, et du bord on ne peut plus rien voir...

II
A TERRE. – DANS LE CAMPEMENT DES MARINS DE « L'ATALANTE »

NUIT DU 20 AOUT.

Sept heures du soir.

Déjà la nuit. Près d'un petit feu qui brûle par terre, deux officiers de l'escadre sont assis dans des fauteuils dorés, d'une forme asiatique ; – c'est dans l'enceinte d'un fort, sur le sable, au milieu de débris, de tessons, de lambeaux quelconques.

Derrière eux, une tente qu'on a faite à la hâte avec les premières choses trouvées sous la main : vieilles voiles, lambeaux de pavillons jaunes ou de draperies de soie brodée ; le tout soutenu par des lances, des avirons cassés, des bambous, ou des hampes d'étendard bariolées d'or.

Des matelots vont et viennent dans l'obscurité, en maraude pour se composer un souper ; leurs pas ne font pas de bruit sur ce sable, et ils ne causent guère non plus ; c'est une espèce de calme un peu lourd qui s'est fait partout, en eux-mêmes comme ailleurs, à la tombée de cette nuit.

Ces choses presque somptueuses, cette tente et ces lances, ces dorures au milieu de ce désarroi, tout cela prend, avec le soir, un faux air de grandeur. Vaguement tout cela fait songer à des scènes du passé, à des pillages, à des invasions de l'Asie ancienne…

Et les deux officiers qui sont là, dans leurs fauteuils de cour, se communiquent cette impression qui leur est venue ; ils se le disent, en riant d'eux-mêmes, naturellement, en tournant en plaisanterie leur idée, par habitude de toutes les situations et par esprit moderne de tout gouailler. Au fond, ils éprouvent bien ce sentiment-là, qui les charme un peu : veillée dans quelque camp d'Attila ou de Tchengiz… Et le rapprochement est juste, car, si l'époque est changée, les mots aussi, – les faits en eux-mêmes sont restés pareils.

Impossible cependant de continuer gaîment la causerie. On ne sait pourquoi, le silence revient. On pense à toute cette région déjà noire, qui entoure les murs bas du fort, et où sont éparpillés des morts à longs cheveux... Vraiment, ces grandes chevelures rudes donnent à ces cadavres de soldats des physionomies très particulières.

Dans ce silence et ce repos, mille détails vous reviennent en tête ; on a la conception plus nette des choses, on est obsédé maintenant par l'horrible de ce qu'il a fallu faire.

La journée a été rude. On repasse lentement, heure par heure, cette succession de souvenirs.

D'abord, ce débarquement plein d'incertitudes, au petit jour, au milieu des brisants de la plage : les matelots, dans l'eau jusqu'à la ceinture, secoués par les lames, trébuchant, mouillant leurs munitions et leurs armes. Mauvais début. Et puis, tout le monde était arrivé au complet sur le sable, malgré les balles et la pluie de bombettes que des gens invisibles, cachés derrière les dunes, lançaient d'en haut. Vite, on avait commencé à monter et à courir en gardant un silence de mort. Et puis, tout à coup, dans une ligne de tranchée, merveilleusement établie, qui semblait entourer toute la presqu'île, on avait trouvé des gens qui guettaient, tapis comme des rats sournois dans leurs trous de sable : des hommes jaunes, d'une grande laideur, étiques, dépenaillés, misérables, à peine armés de lances, de vieux fusils rouillés, et coiffés d'abat-jours blancs. Ils n'avaient pas l'air d'ennemis bien sérieux ; on les avait délogés à coups de crosses ou de baïonnettes.

Quelques-uns s'étaient enfuis, vers le nord, laissant tomber leurs provisions, leurs petits paniers de riz, leurs chiques de bétel. Et tout cela, qui s'était passé très vite, très vite, en quelques secondes, défilait maintenant, en souvenir, avec une lenteur et une précision de détails qui étaient étranges...

Ensuite le commandant supérieur du corps de débarquement avait donné l'ordre à cette compagnie de l'Atalante de monter tout au bout de la dune et de s'emparer du fort de droite sur lequel flottait le pavillon jaune d'Annam.

On était monté à la course toujours, un peu en désordre ; les matelots lancés y allaient comme des enfants. Puis brusquement ils s'étaient arrêtés, reculant de deux pas... Une nouvelle tranchée remplie de têtes humaines !... Toutes ces figures venaient de surgir à la fois, sous une rangée de chapeaux chinois de forme abat-jour ; leurs petits yeux à coins retroussés regardaient avec une expression fausse et féroce, dilatés par une vie intense, par un paroxysme de rage et de terreur.

C'étaient ceux-ci qu'on avait aperçus de l'escadre, et qu'on avait suivis anxieusement de là-bas, au bout des longues-vues.

Ils ne ressemblaient plus du tout aux pauvres hères de la tranchée basse ; c'étaient des hommes très beaux, vigoureux, trapus ; des têtes carrées, militaires, vraies têtes de Huns, avec des cheveux longs et de petites barbiches pointues à la mongole.

Correctement équipés, portant leur provision de balles dans des petits paniers de jonc passés au bras, comme des ménagères qui vont au marché, ils restaient là, barrant le passage, attendant, ne disant rien, et ne bougeant pas : c'étaient les soldats réguliers d'Annam, – et ils devaient être braves, pour avoir tenu depuis hier sous le feu terrible des obus.

Mal armés, il est vrai ; mais on ne pouvait guère juger cela à première vue : des lances ornées de touffes de poils rouges, des grands coutelas affreux, emmanchés sur des hampes, et des fusils à pierre, la baïonnette au bout.

Un instant d'hésitation et de peur chez ces grands enfants étourdis, – les matelots, – la surprise, sans doute, la surprise de ces têtes jaunes, de ces physionomies jamais vues, et rencontrées là face à face, émergeant de leur fossé de sable.

C'est grave quand cela prend, ces peurs-là. Les hommes d'Annam s'étaient redressés davantage, comme prêts à sortir de leurs trous. L'instant devenait suprême. Ils étaient à peine trente, eux, les premiers montés, en présence de tout ce monde jaune ; les autres restaient encore à mi-côte, trop loin pour les soutenir.

Et précisément, malgré leurs airs de grands garçons et leurs tournures carrées, ces matelots de la section de tête étaient des très jeunes, presque tous des enfants d'une vingtaine d'années, pêcheurs bretons qui avaient quitté leur village au printemps dernier et n'avaient jamais vu pareille fête. – On leur avait parlé des chausse-trapes, des trous garnis de pointes que les Chinois dissimulent sous les pas ; on leur avait même donné des cordes à nœuds, en leur expliquant le jeu de ces pièges et la manière d'en sortir. Et ces choses leur revenaient à l'esprit, avec la tête du commandant Rivière plantée au bout d'une pique, et la mort des prisonniers suppliciés... Oui, ils avaient bien vraiment un peu peur.

Le lieutenant de vaisseau qui commandait cette compagnie de l'Atalante s'était mis à leur crier : « En avant ! » à leur dire très vite une foule de choses pour les entraîner. Il avait avec lui un brave second maître de manœuvre, appelé Jean-Louis Balcon, qui avait déjà guerroyé en Chine, et qui, lui, cherchait à entraîner l'aile gauche par une rapide et bizarre harangue de matelot. – Et les têtes qui regardaient derrière la tranchée écarquillaient leurs petits yeux obliques, hésitant encore, se demandant si le moment était bien venu de se ruer sur ces Français...

Tout cela, qui est très long à dire, n'avait pas duré deux minutes. – Mais, de l'escadre, on avait vu aussi ce mouvement d'hésitation, et on l'avait suivi avec une poignante inquiétude.

Enfin, tout d'un coup, les matelots avaient été enlevés par je ne sais quelle parole meilleure, quel sentiment de rage ou de devoir. Ils s'étaient jetés en avant, tête baissée, avec des cris, contre les gens d'Annam.

Ceux-ci s'étaient attendus à une attaque à l'arme blanche, ayant vu briller les baïonnettes des Français. Mais non, les « magasins » des fusils étaient chargés, et ce fut un « feu à répétition », un de ces feux rapides, foudroyants, des « kropatschek », qui s'abattit sur eux comme une grêle. Ils tombaient en faisant voler du sable, et maintenant ils avaient trouvé eux aussi des voix aiguës pour crier ; ils s'affolaient, ne savaient plus se servir de leurs lances ; cette rapidité de nos armes leur jetait une immense stupeur. Non, ils n'avaient rien imaginé de pareil – des fusils encore plus effrayants et d'un jeu plus mystérieux que les canons d'hier !… Alors ils avaient été pris de cette terreur sans nom des choses incompréhensibles, fatales, contre lesquelles on sent qu'il n'y a rien à faire, et la panique des déroutes avait commencé à les gagner tous comme le feu gagne une traînée de poudre.

Ils fuyaient en criant, se renversant les uns les autres dans leur tranchée étroite. Et les matelots, la petite poignée d'hommes, tout à fait enfiévrés à présent par la fumée, par le soleil, par le sang, couraient après eux, et montaient toujours.

En quelques secondes on était arrivé tout en haut des dunes, devant le fort. Des soldats à têtes de Huns, qui le gardaient, cachés derrière les talus, en étaient sortis par un mouvement brusque, comme des diables qui sortent d'une boîte, et avaient fait feu à bout portant. Par une de ces chances extraordinaires, comme nous en avions ce matin-là, ils n'avaient blessé personne, et tout de suite ils s'étaient sauvés en désordre, gagnés eux aussi par la contagion de la peur.

Alors le lieutenant de vaisseau commandant, aidé toujours du second maître Jean-Louis Balcon, avait arraché le pavillon jaune d'Annam, le pavillon noir du mandarin, et hissé à leur place celui de France. Ce fort était le point culminant de la presqu'île ; on l'avait immédiatement aperçu de partout, ce petit pavillon français ; de la plage et de l'escadre, les matelots, qui étaient à ce moment très expansifs, l'avaient salué par des cris de joie. C'était le premier, flottant sur cette terre de Tu-Duc ; ce n'était rien et c'était beaucoup : – un signe d'espoir, visible là pour toute la petite troupe française, et, pour les autres, le présage de la déroute.

119

Du haut de ce fort, où les hommes de l'Atalante venaient en courant se grouper, on voyait de loin tout le corps de débarquement, la compagnie du Bayard, l'artillerie, l'infanterie de marine, les matas indigènes se masser sur les dunes pour commencer leur grand mouvement d'ensemble vers les forts du sud. On suivait cela du coin de l'œil ; mais on avait surtout à s'occuper des fuyards de la tranchée, qui redescendaient tous sur l'autre versant de sable, du côté de l'intérieur, de la grande lagune, et qui, à un moment donné, pourraient se grouper pour revenir.

Ils s'étaient réfugiés à gauche, dans un village qui était là, au pied du fort. Un village très riant sous le soleil, avec des maisonnettes blanches bariolées à la chinoise ; avec de beaux arbres exotiques et des jardins fleuris ; avec des pagodes anciennes, aux murs ornés de faïences de mille couleurs, aux toits tout hérissés de monstres.

Oh ! les malheureux fuyards !... L'instant d'après, ce village flambait. Un obus de l'escadre était tombé au milieu, justement dans des cases de paille ... Murailles de planches peintes, fines charpentes de bambous, cloisons de rotins à jour, tout cela s'était allumé presque à la fois ; les flammes passaient d'une maison à l'autre, si vite, qu'on n'avait pas le temps de les voir courir.

Au milieu de la lumière matinale, qui était fraîche et bleue, ces flammes étaient d'un rouge extraordinaire ; elles n'éclairaient pas, elles étaient sombres comme du sang. On les regardait se tordre, se mêler, se dépêcher de tout consumer ; les fumées, d'un noir intense, répandaient une puanteur âcre et musquée. Sur les toits des pagodes, au milieu des diableries, parmi toutes les griffes ouvertes, toutes les queues-fourchues, tous les dards, cela semblait d'abord assez naturel de voir courir les langues rouges de feu. Mais tous les petits monstres de plâtre s'étaient mis à crépiter, à éclater, lançant de droite et de gauche leurs écailles en porcelaine bleue, leurs yeux méchants en boules de cristal, et ils s'étaient effondrés, avec les solives, dans les trous béants des sanctuaires.

Les matelots devenaient difficiles à retenir ; ils voulaient descendre dans ce village, fouiller sous les arbres, en finir avec les gens de Tu-Duc. Un danger inutile, car évidemment les pauvres fuyards allaient être obligés d'en sortir et de se sauver ailleurs, à moitié roussis, dans une plus complète déroute.

Pendant ce temps-là, vers le sud, s'accélérait le mouvement combiné des autres troupes françaises ; là-bas comme ici les ennemis fuyaient, et l'un après l'autre, tombaient les pavillons jaunes d'Annam. La grande batterie du Magasin-au-Riz était prise, les villages de derrière brûlaient avec des flammes rouges et des fumées noires... Et on s'étonnait de voir tous ces incendies, de voir comme tout allait vite et bien, comme tout ce pays flambait. On n'avait plus conscience de rien, et tous les sentiments s'absorbaient dans cette étonnante fièvre de détruire.

Après tout, en Extrême Orient, détruire, c'est la première loi de la guerre. Et puis, quand on arrive avec une petite poignée d'hommes pour imposer sa loi à tout un pays immense, l'entreprise est si aventureuse qu'il faut jeter beaucoup de terreur, sous peine de succomber soi-même.

Maintenant, au milieu de ces matelots de l'Atalante, qui s'étaient arrêtés en haut des dunes n'ayant plus rien à faire, un fort annamite venait d'envoyer trois boulets, parfaitement pointés, qui, par une rare chance, avaient traversé les groupes sans toucher personne, – et ils y avaient à peine pris garde, les matelots, tant ils étaient occupés à regarder le grand spectacle de la déroute s'achever presque tout seul, à leurs pieds, sur l'étendue chaude des sables...

En effet, l'exode des soldats de Tu-Duc s'échappant du village en feu, ne s'était guère fait attendre. Soudainement on les avait vus paraître, se masser, à la sortie des maisons, hésitant encore, se retroussant très haut pour mieux courir, se couvrant la tête, en prévision des balles, avec des bouts de planches, des nattes, des boucliers d'osier – précautions enfantines, comme on en prendrait contre une ondée. Et puis, ils étaient partis à toutes jambes. On en voyait d'absolument fous, pris d'un vertige de courir, comme des bêtes blessées ; ils faisaient en zigzags, et tout de travers, cette course de la terreur, se retroussant jusqu'aux reins d'une manière comique ; leurs chignons dénoués, leurs longs cheveux leur donnaient des airs de femme. D'autres se jetaient à la nage dans la lagune, se couvrant la tête toujours avec des débris d'osier et de paille, cherchant à gagner les jonques.

Et, dans le village en feu, on en voyait de brûlés, à terre, par petits tas. Quelques-uns n'avaient pas fini de remuer : un bras, une jambe se raidissait tout droit, dans une crispation, ou bien on entendait un grand cri horrible.

A peine neuf heures du matin, et déjà tout semblait fini ; la compagnie du Bayard et l'infanterie venaient d'enlever là-bas le fort circulaire du Sud, armé de plus de cent canons ; son grand pavillon jaune, le dernier, était par terre, et de ce côté encore les fuyards affolés se jetaient en masse dans l'eau des lagunes. En moins de trois heures, le mouvement français s'était opéré avec une précision et un bonheur surprenants ; la défaite du roi d'Annam était achevée.

Le bruit de l'artillerie, les coups secs des gros canons avaient cessé partout ; les bâtiments de l'escadre ne tiraient plus, ils se tenaient tranquilles sur l'eau très bleue.

Et puis, une foule d'hommes vêtus de toile blanche s'était répandue en courant dans les mâtures ; tous les matelots restés à bord étaient montés dans les haubans, face à la terre et criaient ensemble : « Hurrah ! » en agitant leurs chapeaux. C'était la fin.

A l'approche de midi, tous les gens de l'Atalante avaient peu à peu rallié ce petit fort qu'ils devaient occuper jusqu'au lendemain, par ordre du commandant supérieur. Ils étaient très épuisés de fatigue, de surexcitation nerveuse et de soif. Les dunes roses miroitaient d'une manière insoutenable sous ce soleil, qui était au zénith ; la lumière tombait d'aplomb, éblouissante, et les hommes debout ne projetaient sur le sable que des ombres toutes courtes, qui s'arrêtaient entre leurs pieds.

Et cette grande terre d'Annam, qu'on apercevait de l'autre côté de la lagune, semblait un Eden, avec ses hautes montagnes bleues, ses vallées fraîches et boisées. On songeait à cette ville immense de

Hué, qui était là derrière ces rideaux de verdure, à peine défendue maintenant, et pleine de mystérieux trésors. Sans doute, on irait demain, et ce serait la vraie fête.

L'heure de dîner était venue, et on avait commencé à s'installer pour faire le plus commodément possible un maigre repas de campagne avec des vivres de bord. Par bonheur, il y avait là, à petite distance, la case portative d'un mandarin militaire en fuite depuis la veille ; une case très vaste toute en bambous et en roseaux, en treillages fins, élégants, d'une légèreté extrême. On l'avait rapprochée, avec ses bancs de rotin, ses fauteuils, et on s'y était assis bien à l'abri contre l'ardent soleil.

Mauvaise surprise : le vin se trouvait court, malgré les ordres formels de l'amiral et du commandant de l'Atalante. C'était à n'y rien comprendre... Tant pis ! on avait mis un peu plus d'eau dans les bidons, et dîné très gaîment quand même.

Ils avaient tous ramassé des lances, des hardes, des chapelets de sapèques, et portaient, enroulées autour des reins, de belles bandes d'étoffes de différentes couleurs chinoises. (Les matelots aiment toujours beaucoup les ceintures.) Ils prenaient des airs de triomphateurs, sous des parasols magnifiques ; ou bien jouaient négligemment de l'éventail et agitaient des chasse-mouches de plumes.

Avec ce peu d'ombre et de repos, le calme s'était fait dans ces têtes très jeunes ; l'excitation passée, ils s'étonnaient naïvement en eux-mêmes d'avoir pu être tout à l'heure des gens qui faisaient la guerre, des gens qui tuaient...

L'un d'eux, entendant un blessé crier dehors, s'était levé pour aller lui faire boire, à son propre bidon, sa réserve de vin et d'eau.

L'incendie du village s'éteignait doucement ; on ne voyait plus que çà et là quelques flammèches rouges au milieu des décombres noirs. Trois ou quatre maisons n'avaient pas brûlé. Deux pagodes aussi restaient debout ; la plus rapprochée du fort, en achevant de se consumer, avait tout à coup répandu un parfum suave de baume et d'encens.

Les matelots maintenant avaient tous quitté leur toit de bambous ; un peu fatigués pourtant, et aveuglés de lumière, ils erraient sous ce dangereux soleil de deux heures, cherchant les blessés pour les faire boire, leur porter du riz ; les arranger mieux sur le sable ; les coucher, la tête plus haute. Ils ramassaient des chapeaux chinois pour les coiffer, des nattes pour leur faire de petits abris contre la chaleur. Et eux, les hommes jaunes qui inventent pour leurs prisonniers des raffinements de supplices, les regardaient avec des yeux dilatés de surprise et de reconnaissance ; ils leur faisaient : « Merci », avec de pauvres mains tremblantes ; surtout ils osaient maintenant exhaler tout haut les râles qui soulagent, pousser les lugubres : « Han !... Han !... » qu'ils retenaient depuis le matin, pour avoir l'air d'être morts.

Il y avait des cadavres déjà bien affreux. Et de grosses mouches à bœufs les mangeaient.

L'apaisement s'était fait partout.

Là-bas, du côté de ce grand fort du Sud où la partie finale avait été jouée ce matin par la compagnie du Bayard, on n'entendait rien non plus. – C'était le campement du capitaine de vaisseau commandant supérieur et, les coups de feu ayant cessé là aussi, c'est que la journée d'action était bien officiellement terminée.

Quelques têtes humaines sortaient maintenant de la lagune, de dessous les vieilles jonques chavirées, regardant, avant de se risquer, si c'était bien vrai qu'on ne se battait plus ; – pauvres effarés, derniers des fuyards qui étaient cachés dans l'eau depuis le matin, et qui suffoquaient.

La chaleur était lourde, orageuse. Les villages éloignés continuaient de brûler sans bruit. Il n'y avait plus que, de temps en temps, quelque agonie d'Annamite, quelque épisode isolé pour rompre la tranquillité de cette soirée, la monotonie de ce soleil chauffant ce sable et ces morts.

Un jeune soldat ennemi, dont la poitrine était percée d'un trou profond, avait osé le premier se traîner jusqu'au campement de l'Atalante. Ayant ouï dire comment on traitait les autres, il était venu pour demander un peu de riz.

Ensuite, il s'était étendu là, aux pieds du lieutenant de vaisseau commandant, devinant une protection, ne voulant plus s'en aller.

Avec beaucoup d'égards et de précautions, on l'avait emporté quand même, et couché ailleurs, parce que sa blessure était bien repoussante : à chaque mouvement de sa respiration, l'air sortait par ce trou, en faisant bouillonner un liquide affreux qui était à l'ouverture.

Pas d'ambulance, pas de « Croix de Genève » en Annam. C'était tout ce qu'on pouvait faire pour eux : un peu de riz, un peu d'eau fraîche, un peu d'ombre, – et puis les laisser mourir, en détournant la tête pour ne pas voir.

Cinq heures.

Un blessé s'était relevé tout à coup, parlant très fort d'un ton prophétique, ayant l'air de dire aux Français des choses qui voulaient être entendues. Alors on lui avait envoyé l'interprète.

C'était une malédiction suprême contre les mandarins militaires qui avaient pris la fuite après les avoir poussés au combat, contre les Esprits des pagodes qui n'avaient pas su les protéger. Il avait dit ensuite que les Esprits des Français étaient supérieurs à ceux d'Annam, et terminé en demandant un peu de vin et de sucre.

Le verre vidé, sa mâchoire était tombée avec un bruit de boîte qui s'ouvre et il était mort, en agitant ses mains comme pour faire par politesse un dernier tchin-tchin.

On avait faim, malgré tout, et il avait fallu s'occuper de dîner, avant la nuit qui arrive tout d'un coup dans ces pays-là.

Alors on avait mandé les boys de Saïgon, qui s'étaient mis tout de suite à fureter dans le village, comme de mauvais petits renards voleurs. En un clin d'œil, ils avaient trouvé du riz, des assiettes, des marmites, puisé de l'eau fraîche, attrapé et plumé des poulets... Tout, ce qu'on leur demandait sortait comme par enchantement de leurs mains. Merveilleux petits domestiques, ils avaient même apporté, pour les deux officiers du fort, de beaux hamacs bleus, en filets soyeux, et ces grands fauteuils dorés dans lesquels ils venaient de s'asseoir, à la tombée du soleil, comme des souverains, – commençant l'un et l'autre à repasser, dans leur tête, calmée, toute la série des scènes du jour...

III

Et maintenant que la nuit est tout à fait venue, ces scènes s'assombrissent dans un demi-rêve. On prévoit qu'elle va être très longue, cette nuit, et assez pénible à passer ; on ne se sent aucun sommeil.

Cette ville de Hué, qui est là, à deux heures de marche, sans que rien révèle sa présence, tout près, enfermée dans ses grands murs, commence, elle aussi, à prendre dans l'imagination des aspects fantastiques. Est-ce qu'on ira demain ?... Cela semble probable. Et on s'en emparera sans doute comme de Thouane-An, bien qu'il y ait des forts le long du chemin et des barrages dans la rivière.

Ville unique entre les villes ; un seul Européen, un évêque missionnaire, y a pu pénétrer un jour, mandé par le roi, au moment de la cession de Haï-Phong. Il en a fait des récits étonnants.

Les portes en sont fermées à tous, même aux gens d'Annam, qui ne franchissent que dans certaines circonstances spéciales les enceintes extérieures, – et qui en sortent plus difficilement qu'ils n'y sont entrés.

Sa forme est un carré parfait ; elle est si étendue qu'il faut plus d'un jour à un homme pour en faire le tour ; – et elle est presque vide. Les étrangers, les travailleurs, les marchands, tout ce qui vit et se remue, est parqué dans ses faubourgs, en dehors de ses interminables murs. Au dedans, elle n'est que l'immense demeure d'un roi invisible ou peut-être mort.

Rien que des palais, des sérails, des parcs et des pagodes ; sans doute des richesses entassées, qui dorment depuis des siècles ; rien que des gens de cour, des mandarins, – bandes ténébreuses qui gouvernent et pressurent ce vieux royaume de poussière.

Cinq enceintes concentriques de murailles, contenant, à mesure qu'on s'approche du centre, des personnages de plus en plus considérables et de plus en plus mystérieux.

Au milieu enfin, ce roi qu'on n'a jamais vu, enfermé comme au fond d'une de ces séries de coffrets chinois qui s'emboîtent les uns dans les autres, indéfiniment. Il arrive, dit-on, que quelque garde du palais, pris de curiosité, risque sa vie pour apercevoir par une porte, par une fenêtre ouverte, ce vieux visage de roi, aussi mortel que celui de Méduse ; – s'il y parvient et qu'on le sache, sa tête est aussitôt coupée.

Cette ville, paraît-il, est gardée par un charme. « Quand les Européens y pénétreront, dit un proverbe ancien, le ciel tombera. »

Cela vaut bien qu'on risque l'attaque, et la journée de demain préoccupe l'imagination.

Huit heures du soir.

Il est temps de descendre faire une première ronde de nuit dans le village ; des sections d'artillerie et d'infanterie qui y sont campées relèvent de l'autorité du fort.

On se met en route, les armes chargées. Le fanal de ronde, qui ouvre la marche porté par un matelot, est une exquise petite lanterne chinoise d'un travail ancien, qu'on a prise dans une pagode.

La ronde descend, les pieds glissant dans le sable. On sent des odeurs de brûlé, voici le village : des brasiers rouges exhalant des fumées puantes ; des porcs qui grognent, en furetant de la tête parmi les décombres et les morts ; des poules et des pintades effarées, qui cherchent où se percher pour dormir. Malgré soi on évite les fouillis obscurs, on passe au large de peur des cadavres.

Voici l'horrible : « Han !... Han !... qu'on avait commencé à oublier, – le son d'une voix creuse qui râle ; et des mains se tendent, suppliantes, essayant de faire tchin-tchin. – Ils sont même beaucoup là, par terre, qui appellent ; il faut s'arrêter pour les faire boire, et les bidons des braves rondiers y passent entièrement.

Une grande construction restée debout, dans laquelle des ombres paraissent s'agiter auprès d'un feu ; – au-dedans, des murailles dorées, une voûte dorée, une profondeur d'église, et une magnificence de sérail. C'était une pagode du roi. – Elle est pleine de soldats d'infanterie de marine qui causent, vont et viennent en fumant ; ils brûlent, pour cuire leur soupe, des fauteuils d'une élégance très recherchée, recouverts d'une fine couche de laque et d'or.

Nuit épaisse et lourde. – Encore des maisons brûlées, – des cadavres. Des tas informes, des moitiés de têtes roussies essayant de se soulever, des mains qui remuent. La petite lanterne chinoise éclaire ces choses au passage…

Et puis, encore une pagode, moins grande celle-ci, semblant très antique ; une vieillerie curieuse, avec des diables qui s'enchevêtrent sur le toit, des monstres de porcelaine qui grimacent à l'entrée.

Des Bouddhas de jaspe, des dieux et des déesses en bois doré gisent près de la perte, cassés, les jambes en l'air, sans tête ; on en a sans doute emporté beaucoup, et ceci semble le rebut d'un rapide triage. – Un feu est au fond, brûlant assez mal, faisant danser des lueurs sur les dorures anciennes, sur les inscriptions de nacre, sur les faïences ; c'est la cuisine de quatre soldats qui se sont installés pour faire bouillir un porc. Plusieurs éditions du groupe mystique du Héron et de la Tortue traînent par terre ; et même un de ces grands hérons brûle sous la marmite, avec d'autres débris de sculpture, couché en travers du feu, tenant raides ses longues pattes laquées de rouge et son dos doré.

Ces quatre hommes qui sont là rient très fort, échangent des plaisanteries faubouriennes, avec un mauvais accent parisien ; on devine des rouleurs de barrière, que le hasard s'est chargé de réunir autour de ce souper. Un peu plus loin, d'autres ont ramassé une toute petite fille, bébé de quatre ou cinq ans, légèrement blessée à la jambe. Ils l'ont pansée, couchée le plus douillettement possible, ils la soignent avec une sollicitude extrême. Elle dort, confiante, au milieu d'eux ; ses yeux tirés vers les tempes lui donnent la figure d'un petit chat jaune très gentil et très câlin.

Ils l'avaient d'abord couchée toute nue pour qu'elle fût plus à l'aise par cette grande chaleur ; mais ils viennent de décider en conseil qu'il faut lui couvrir le ventre, de peur qu'elle ne prenne la colique, avec la mauvaise humidité de la nuit ; – et l'un d'entre eux donne sa ceinture.

Pauvre petite abandonnée, qu'est-ce qu'ils vont pouvoir en faire ? On ne leur permettra pas de l'emmener : et alors, qu'est-ce qu'elle deviendra, toute seule, quand ils seront partis ?

Maintenant il faut remonter au fort ; – s'asseoir dans le grand fauteuil doré, ou se coucher dans le hamac bleu que les boys ont suspendu ? – Plutôt le fauteuil, pour mieux voir autour de soi.

Nuit de plus en plus obscure. On sent qu'on est dans un endroit élevé, à cause des étendues de noir qui se déploient partout, avec des feux lointains d'incendies ou de campements.

Les matelots ont été sages. Plusieurs se sont déjà couchés tranquillement dans la maison du mandarin militaire. D'autres restent assis, très silencieux et songeurs, écœurés maintenant d'avoir dû charger à la baïonnette, de se voir du sang sur leurs habits de toile, et attendant le jour avec impatience pour aller laver cela « à l'eau douce ».

Il y en a qui veulent déjà souper, par enfantillage, à peine remis de leur grand dîner ; ils ont encore été faire razzia du côté de certaine flaque d'eau où tous les poulets et les canards échappés du feu se sont réunis comme pour un dernier conciliabule d'oiseaux. Ils en ont mis une douzaine à bouillir, avec un petit porc, dans une marmite énorme, sur un feu de bambous.

Une détonation, et tout s'éparpille ! La marmite saute en l'air, vole en éclats ; la sauce retombe en pluie. – Pour s'expliquer la chose ils visitent le reste de ces bambous, pris tout à l'heure chez le mandarin : ce sont des étuis à poudre, pleins jusqu'au bord. Cela les fait rire, et ils vont se coucher.

Le silence augmente, et les brisants de la grande plage commencent à faire entendre leur bruit.

De temps à autre, « pan pan pan pan », comme disent les boys de Saïgon : – une sentinelle qui s'est figuré entendre marcher, et qui, effarée, dans un demi-sommeil, a tiré à coups précipités sur quelques fantômes de son rêve.

Ou bien un râle caverneux, qui monte d'en dessous des murs ; toujours le « Han ! Han !... » prolongé en plainte déchirante : quelqu'un qui meurt. On se bouche les oreilles pour ne plus entendre.

La houle du large doit être forte ce soir, car ces brisants font un bruit qui augmente. Ce matin déjà, les canots avaient peine à accoster la plage ; ils ne le pourraient plus du tout ce soir, et, en cas de surprise, de déroute, le rembarquement serait impossible.

On écoute avec un peu de mélancolie le grondement sourd de ces lames qui coupent maintenant toute communication avec l'escadre, avec le monde européen ; – on songe qu'on n'est qu'un tout petit nombre d'hommes, ne tenant là que par toute l'épouvante qu'on a jetée. – Et cela semble bizarre, à la réflexion, d'être venu ainsi impudemment se camper au milieu d'un pays immense, en s'entourant de morts pour faire peur.

Huit heures et demie.

Une lueur rapide, un grand bruit qui fait tressauter : un coup de canon à mitraille, parti d'en bas, du village. – Alerte ! on crie : « Aux armes ! »

Ce sont les tirailleurs qui ont cru voir au milieu de la lagune, sur les luisants noirs de l'eau, de grandes jonques apparaître en silhouettes.

Après tout, peut-être venaient-elles parlementer.

On ne les voit plus. – Encore le silence.

Neuf heures.

Au même point plusieurs jonques apparaissent à la file, illuminées tout à coup par un feu clair, à long jet de flamme, qui brille à l'avant de l'une d'elles.

Encore alerte et aux armes ! Ces jonques viennent de la grande terre, de la direction de Hué.

Et puis on s'arrête. Il y a le pavillon parlementaire blanc au-dessus de ce feu, allumé là sans doute pour le faire bien voir. – Il faut descendre sur la plage avec l'interprète, pour recevoir cette ambassade et donner l'ordre aux sentinelles de la laisser aborder.

Elles s'approchent lentement, les jonques, comme hésitantes, ayant peur : elles arrivent, avec leur tournure de gondole vénitienne, portant haut leur dôme central et leurs pointes arquées. Elles marchent sans bruit, à la godille, avec ce petit trémoussement qui est particulier à ce genre d'allure. Une voix, qui semble bien française, interroge :

– Voulez-vous recevoir les parlementaires de la cour de Hué, qui viennent demander la paix ?

On répond :

– Oui !

Et elles accostent. Des torches improvisées, des morceaux de bois qu'on brûle, éclairent ce débarquement de gens étranges.

D'abord des gardes de la cour d'Annam, vêtus de bleu sombre, avec de larges cols bordés de rouge. On les trouve bien un peu nombreux pour une simple ambassade, mais c'est probablement une question d'étiquette, et d'ailleurs ils sont sans armes.

Et puis on voit sortir de grands brancards d'or, somptueux, terminés en figures de monstres ; et des parasols d'or, ouverts en pleine nuit, et des baldaquins, et des hamacs... Cela semble un déballage de féerie.

Toutes ces choses, s'organisent méthodiquement sur le sable. Les gardes mettent sur leurs épaules les brancards d'or, y suspendent les hamacs bleus, puis les recouvrent de baldaquins et de rideaux – en tout, quatre palanquins complets, – dans lesquels montent, avec des airs de mystère, des personnages qu'on ne peut apercevoir. Quatre porteurs de parasols se précipitent, comme pour les abriter contre des rayons imaginaires, et enfin le cortège s'ébranle. Avec toute une suite silencieuse, il se dirige vers l'homme qui représente à ses yeux la guerre, l'invasion, l'extrême terreur : le lieutenant de vaisseau commandant le fort.

Celui-ci attend, à quelque cent pas, debout, près d'un feu de branches attisé pour le mettre en lumière ; en tenue de campagne, lui, poudreux et déchiré, sali de terre et de fumée, incorrect et un peu moqueur, devant une si cérémonieuse ambassade.

A deux pas de lui, le premier parasol s'abaisse, le premier palanquin s'arrête, et les rideaux s'ouvrent...

On s'attendait à en voir descendre quelque grand personnage asiatique. Mais non, c'est une tête européenne, très pâle, qui se soulève sur le hamac à franges bleues ; la voix, absolument française, a cette lenteur douce, un peu onctueuse, des gens d'église ; l'homme est vêtu d'une soutane violette ; l'anneau pastoral brille à son doigt, et il tend d'abord sa main, pour recevoir un baiser qu'on ne lui donne pas.

– Monsieur, je suis l'évêque missionnaire de Hué. J'accompagne les parlementaires. Voulez-vous recevoir le ministre du roi ?

En même temps, le bras d'un des invisibles personnages entr'ouvre les rideaux du second palanquin et présente une lettre dont l'adresse est mise en français d'une écriture très courante (celle de l'évêque sans doute) :

« A Monsieur le Commissaire général civil, ou, en son absence, à Monsieur le Contre-Amiral commandant en chef. »

Assurance est donnée à monseigneur qu'il sera traité avec les plus grands égards, lui et les personnes qu'il accompagne. Mais il est prévenu, en même temps, que les lois de la guerre, et celles aussi de la plus simple prudence, obligent à le conduire au fort sous escorte armée ; il y sera gardé courtoisement jusqu'au retour du sous-officier qui va aller là-bas, au quartier général (fort du Sud), porter la lettre parlementaire et prendre les ordres supérieurs.

Alors une bande de matelots vient, sur un signe, envelopper l'ambassade entière, et le cortège, reprenant sa marche à la lueur des torches, se met à gravir, dans un silence de mort, la pente raide des sables.

Ces torches, de temps en temps, éclairent quelques cadavres effondrés, les mains en l'air, en travers du chemin, ou bien quelque mourant qui se met à pousser son râle horrible, à tue-tête, en tendant ses bras vers les gens de cour. Mais ceux-ci passent sans oser se retourner, tremblants et hébétés par la peur.

On s'arrête en haut dans le petit campement de l'Atalante.

Alors tous les parasols dorés s'abaissent et les porteurs s'accroupissent. Les rideaux des palanquins s'agitent comme pour s'ouvrir ; les invisibles personnages vont paraître ; et les matelots, curieux de leurs figures, font cercle, attisent les bambous pour mieux voir.

D'abord, monseigneur, qui met pied à terre péniblement, l'attitude affaissée. Son vicaire descend après lui. – Et enfin, les deux personnages d'Annam, ministre et secrétaire d'Etat.

Ils tremblent très visiblement, ceux-ci et se serrent contre l'évêque.

Ils sont vêtus, avec une extrême simplicité, de tuniques à la chinoise, uniment noires, fermées par des brandebourgs et des boutons de jaspe rose ; ils portent petite barbiche rare et pointue, comme Attila ; et leurs longs cheveux de femme sont relevés négligemment sur la nuque en un chignon à l'antique. L'un et l'autre parfaitement distingués d'ailleurs, dans toute leur personne ; des figures fines et des mains petites de patricien, avec des ongles invraisemblables, effilés en griffes.

Le ministre s'appuie sur l'épaule d'un courtisan étrange, de sexe ambigu, qui s'est précipité pour l'aider à descendre : vêtu de noir comme son maître, les cheveux partagés au milieu en deux nattes très longues, la taille mince et svelte, la figure efféminée et jolie. On dirait d'abord une jeune fille en costume d'homme. Mais c'est un jeune garçon, paraît-il.

Alors on songe à ces « enfants asiatiques » que les raffinés du Bas-Empire latin faisaient venir à grands frais et attachaient à leur personne comme choses de mode et de luxe. Sans doute cet Extrême

Orient immobilisé, si vieux avant notre ère, n'a pas changé depuis l'époque romaine.

Les boys de Saïgon, qui sont eux aussi des « enfants asiatiques », seraient très utiles en ce moment pour improviser, faire sortir de terre, un souper présentable à l'ambassade qui semble épuisée par les émotions et le voyage. Mais ils ne sont plus là. Ils ont été expulsés du campement des matelots à la tombée de la nuit, par mesure d'ordre, et s'en sont allés dormir on ne sait où. Un peu d'eau et de vin, un peu de thé et de riz, c'est tout ce qu'on peut offrir à ce ministre et à monseigneur, qui l'acceptent.

Maintenant les deux prêtres, les deux officiers français et les deux grands d'Annam, ayant à leurs pieds « l'enfant asiatique », sont assis fort tranquillement, comme des amis, sur les bancs légers du mandarin militaire.

La conversation commence, un peu lente, embarrassée. – C'est monseigneur qui traduit, et, sa voix traînante dénote une fatigue excessive. Il dit la consternation qui règne dans Hué, la stupeur, la contagieuse épouvante, causées par nos canons énormes, par nos fusils à longue portée, par nos feux rapides.

Et puis il ajoute, plus bas, que son rôle, à lui évêque, est naturellement tout à fait officieux. En venant ce soir, il n'a fait que céder aux sollicitations de la cour d'Annam ; la terreur était telle que, sans lui, les parlementaires n'auraient pas osé se présenter au camp des Français.

Au milieu de l'enceinte du fort, se tient la suite silencieuse de l'ambassade ; gens de cour ou simples gardes accroupis pêle-mêle dans le sable, serrés les uns contre les autres, accablés, comme à l'approche de leur dernière heure. Et les brancards magnifiques qui gisent par terre, les dorures des grands parasols, jettent leur note d'Asie sur ces groupes muets.

La nuit est moins épaisse ; les nuages obscurs qui, au coucher du soleil, s'étaient tendus comme un velum, commencent à se déchirer, laissant paraître des trouées claires pleines d'étoiles.

Les matelots, qui se sont réveillés tous pour voir entrer ces palanquins et ce cortège, sont assis maintenant alentour sur les murs bas du fort ; ils fument et ils causent en sourdine. Par-dessus leurs têtes on voit les étendues noires, redevenues si tranquilles avec la nuit. Du côté de l'ouest, il y a toujours, dans les lointains, des brasiers rouges qui sont les restes des villages. – A l'est, cette grande plaine unie qui semble de marbre bleuâtre, c'est la mer de Chine ; elle commence à luire par places, reflétant les trouées et les étoiles d'en haut... !

... Voici une fois de plus le « Han !...Han !.. » qui monte de la plage, horriblement prolongé. Encore un qui meurt ! Malgré soi on fait silence tant que dure ce râle, et les gens d'Annam frissonnent.

Et puis on voit, tout au ras de l'horizon, monter le gros disque rouge de la lune, qui étend sa traînée lumineuse sur l'immensité des eaux. Dans un moment il va faire très clair.

Peu à peu, dans le petit groupe parlementaire, la conversation devient plus animée, plus cordiale. Le ministre offre ses longues cigarettes d'Annamite, roulées en cornets minces, qu'il a apportées toutes faites dans un coffret ; il paraît prendre confiance en les voyant acceptées.

Le langage de ce pays semble toujours une suite de consonances incertaines, nasillardes, entrecoupées en monosyllabes un peu haletants, et où revient à courts intervalles quelque chose comme le miaou des chats. Tout cela pourtant a une signification, paraît-il, car monseigneur traduit une foule de choses fort gracieuses que les pauvres vaincus se croient obligés de dire.

Vers dix heures et demie, arrive du fort du Sud le capitaine de frégate L...., accusant réception de la lettre de paix et apportant les ordres supérieurs : on mande tout de suite au quartier général l'ambassadeur et l'évêque qui pourront amener leurs secrétaires ; quant aux gens de leur suite, ils devront rester au fort de l'Atalante, sous la surveillance du lieutenant de vaisseau commandant qui est prié de les faire coucher au milieu de ses matelots.

Très vite, les beaux brancards se remontent, les hamacs, les rideaux s'arrangent ; les quatre personnages prennent congé, et leurs palanquins s'éloignent, au pas rapide et cadencé des porteurs. La lune, encore très basse, les éclaire d'une lumière chaude ; on les regarde se perdre dans le lointain, sur les sables roses, toujours avec leurs parasols dorés, leur air de personnages de féerie.

Au campement on s'agite, on s'organise définitivement pour dormir.

Mais les hommes jaunes ont peur, à présent que l'évêque et leur chef sont partis. Avant de se coucher parmi les marins, ils éprouvent le besoin de cimenter leur amitié avec eux, de l'affirmer par mille témoignages aimables. Alors ils leur font à tous de longues politesses, des révérences annamites à ressort, de cérémonieux tchin-tchin à mains jointes, des shakehand à n'en plus finir. Et les matelots, très saisis en présence de tant de belles manières, rendent les saluts et les poignées de main, en étouffant des envies de rire ; ils s'étonnent beaucoup de rencontrer des gens de cour si obséquieux et de leur sentir les ongles si longs.

Avant minuit, tout le monde est à peu près casé, couché, endormi, – les sentinelles exceptées.

Les deux officiers, restés sur leurs fauteuils de mandarins, ne dorment pas encore, eux non plus.

La lune a beau répandre sa belle lumière nette ; les nuages ont beau s'en aller ; le ciel, redevenir pur et splendide, rien de tout cela n'égaye cette nuit de veille. On recommence à distinguer comme en plein jour les fumées des villages qui brûlent ; sur les sables clairs on voit les morts qui dessinent des taches noires, – des croix, quand leurs bras sont étendus. Et les brisants font toujours leur bruit, qui donne cette même impression d'isolement, de séparation du reste du monde, sur cette terre d'Annam.

Alors tout à coup l'affreux « Han !...Han !... » s'exhale encore, et cette fois on l'entend venir de tout près, de par terre, presque de dessous les fauteuils, en même temps que de vrais bras se tendent pour tout de bon, cherchent à vous enlacer les genoux... – C'est le blessé de ce soir, le pauvre garçon à la poitrine percée, qui est encore revenu, qui s'est traîné et introduit là, Dieu sait comment !

On n'ose plus le faire emporter ; on lui donne une couverture, du vin à boire, tout ce qu'il veut ; mais il est bien ennuyeux de s'obstiner ainsi à reparaître ; puisque l'on ne peut rien pour le sauver, il devrait bien mourir.

L'air, le vent sont chauds, lourds ; il y a une senteur douceâtre et énervante de plantes tropicales, de fleurs de dunes. – Et puis autre chose encore, un mélange à la fois fétide et musqué qui est particulier aux villages, aux gens, aux objets de ce pays. Les matelots disent : « Ça sent le chinois », et c'est tout ce qu'on peut dire de mieux. Voilà : « Ça sent le Chinois » ; c'est caractéristique et indéfinissable.

... Tout à coup une première bouffée de cimetière vient se mêler à toutes ces étrangetés d'odeurs... Les cadavres, qui commencent à se faire sentir !... – En effet, il aurait fallu les éloigner avant la nuit ; on aurait dû y songer, en voyant, au coucher du soleil, les premiers oiseaux noirs s'assembler. Mais on comptait faire faire demain cette besogne par les prisonniers, on ne pensait pas que la décomposition viendrait si vite.

... Une seconde bouffée monte, écœurante, horrible... et jusqu'au matin cela va certainement augmenter très vite, devenir intolérable. Que faire ?... Réveiller les matelots, déjà si fatigués ?... On hésite entre l'horreur d'aller remuer ces corps la nuit, et le malaise sombre que cause leur voisinage. Une lassitude vous cloue sur place ; une espèce de mauvais sommeil finit par arriver, plein de rêves, hanté par des contorsions, des grimaces, de vilaines singeries de morts...

JOURNEE DU 22 AOUT

A six heures, le soleil est là, jetant d'un seul coup, à son lever rapide, sa grande lumière magnifique et son extrême chaleur. Alors les visions de la nuit s'en vont ; les choses reprennent leurs proportions vraies.

La tente où l'on a dormi est remplie de rayons. On voit briller les hampes dorées, les lances de pagode qui soutiennent les toiles tendues ; mais ces toiles sont souillées et sordides.

Dehors, tout le campement s'éveille. Les Annamites, en s'étirant, soupirent à la pensée qui leur revient de leur défaite et de leurs terreurs d'hier. Ils secouent leurs robes bleues, – qui sont fanées, – tordent leurs longues chevelures, rajustent leurs chignons comme des femmes. Et il y a déjà plusieurs feux allumés sur le sable ; ce sont les matelots qui ont voulu dès l'aube recommencer leurs grandes cuisines de poulets.

Là-bas, la terre d'Annam paraît très belle et un peu étrange à cette heure matinale. Les hautes montagnes dessinent en l'air leurs cimes violettes ; elles paraissent plus dentelées que nature, comme dans un paysage que des Chinois auraient peint. Les plaines boisées sont de cette teinte fraîche et éclatante qui est particulière aux Tropiques. Et on aperçoit le mirador de Hué, – celui du palais royal, – qui domine ces lointains verts…

Le blessé à la poitrine crevée est mort pendant la nuit ; il est allongé tout raide, bouche béante au soleil. – Autour du fort, naturellement, les cadavres sont toujours là, dans leurs poses de la veille. Et, comme si on en manquait, la mer a même rapporté tous ceux qu'on lui avait jetés hier ; ils sont le long de la plage, baignés dans l'écume blanche des lames, avec leurs mains en l'air toujours, – et tous ballonnés, ressemblant à de gros magots ventrus. Il va falloir décidément creuser de grands trous pour y mettre tout ce monde.

Est-ce qu'on marchera aujourd'hui sur Hué, – est-ce qu'on franchira les grands murs mystérieux ? – Sans doute non ; cette ambassade arrivée cette nuit aura signé n'importe quoi, par peur de nous voir venir dans la ville, dans les palais, – et le vieux proverbe d'Annam aura raison encore une fois.

Auprès, autour du campement, ce sont toujours les sables étincelants et chauds, contrastant avec la rive verte de l'intérieur ; et puis les ruines, les débris de tout ce que le feu a détruit hier. Deux pagodes restées debout montrent, avec des aspects méchants, leurs cornes, leurs griffes, toutes leurs diableries de faïence. Et les cocotiers du village, qui étaient si frais, ont passé au noir ; ils sont plantés au milieu de ce désarroi comme de vieux plumeaux roussis.

Vers sept heures, le bruit très éloigné d'une fusillade. Ce sont les troupes françaises campées au fort Circulaire qui viennent de traverser la rivière de Hué dans les canots de l'escadre et s'avancent sur les sables de la rive Sud. A la longue-vue on suit dans le lointain les mouvements de ces rangées de petits pygmées noirs qui sont des matelots et des soldats ; on les voit s'emparer sans coup férir de deux ou trois forts que les ennemis ont abandonnés dans la grande panique d'hier, – et le pavillon aux trois couleurs est hissé partout.

Ce doit être la fin des fins, et sans doute on ne se battra plus.

Journée lourde, longue, monotone, accablée de chaleur, pénible à passer.

On enterre les morts. Il y en a encore plus qu'on ne croyait. Le rapport officiel annamite en accuse douze cents, et ce doit être le compte. On les jette en bloc dans de grands trous. Les prisonniers font cette besogne, surveillés, baïonnette aux reins, par les sergents des troupes indigènes de Saïgon.

Les matelots, qui sont très altérés aujourd'hui, puisent de l'eau aux citernes ; mais c'est de l'eau boueuse, et de plus elle est musquée comme toutes les choses de ce pays. Les prisonniers expliquent qu'on l'a apportée de la grande terre dans des outres de bique où elle a pris cette odeur, et qu'elle n'en a pas moins un fort bon goût.

Tout de même, en cas de poison, les matelots qui se méfient imaginent de la filtrer. Et voilà les grands chapeaux chinois, – qui faisaient déjà de merveilleux entonnoirs pour vider le vin dans les bidons, – requis pour ce nouvel emploi. (Le sable en est semé, de ces grands chapeaux coniques en forme d'abat-jour, tombés dans la déroute). On met dedans, au fond, un peu de charbon pilé, puis on les remplit d'eau, et bientôt, par la pointe, coule un petit filet clair qui n'est pas trop mauvais à boire.

Trois heures de l'après-midi.

L'ambassade traverse de nouveau le campement, revenant du quartier général. Elle passe sans s'arrêter, ramasse son escorte, descend, au pas gymnastique, vers la lagune, puis s'embarque dans ses jonques. Et pendant tout ce défilé rapide, les grands parasols asiatiques bariolés d'or se tournent, s'élèvent ou s'abaissent suivant les rayons du soleil, manœuvrés avec une rare précision par leurs porteurs.

Cette fois les palanquins sont restés fermés. Monseigneur seul a entr'ouvert ses petits rideaux, pour saluer de la main et annoncer que le traité de paix est accepté avec ses clauses les plus dures : on se dépêche le plus possible, pour le porter ce soir même à la signature du roi d'Annam...

Allons, le vieux proverbe a dit vrai, et les grands murs de Hué vont garder leur mystère...

Le vent est à la paix décidément. Au coucher du soleil, deux mandarins arrivent au fort, un peu tremblants, mais empressés et obséquieux, avec des airs d'humilité sournoise ; faisant de beaux tchin-tchin, distribuant à tout le monde des poignées de main qui s'embarrassent dans les plis de leurs manches-pagodes, dans la longueur de leurs ongles.

Leurs robes sont en gaze de soie bleu-marine, à grandes rosaces brochées, – avec des devants d'un bleu plus pâle, comme ces gilets qui ont été de mode pour les femmes en France.

Ils sont venus nous amener un convoi de bœufs, de porcs, de bananes, d'eau fraîche, de toutes sortes de choses fort bonnes, qui vont être les bienvenues.

Ils apportent aussi des nouvelles à sensation : il paraîtrait que le roi en personne, l'invisible, l'inconnaissable, est monté hier dans son grand mirador, qu'on aperçoit là-bas, pour regarder le bombardement et l'escadre. Il est vrai, on avait répandu dans la ville de rigoureuses menaces de mort contre qui oserait lever les yeux vers cette tour, et toutes les maisons, toutes les fenêtres s'étaient fermées avec terreur. Mais, dans les grands faubourgs habités par les Européens et les marchands, on aurait pu avec des lunettes l'apercevoir, et ce fait est vraiment un signe des temps, une chose sans précédent dans l'histoire de l'Annam.

Neuf heures du soir.

L'ordre arrive du quartier général, de faire rembarquer les marins demain matin à la première heure…

C'est fini, ce petit rêve de conquête. On laissera les forts sous la garde de l'infanterie de marine et de la Vipère.

Les matelots, très désappointés, se répandent dans le village incendié pour ramasser dans les décombres mille petits souvenirs qu'ils désirent emporter ; avec des lanternes, ils font parmi les débris des choix très extraordinaires, se lamentant beaucoup de n'avoir pas été prévenus plus tôt, de n'avoir pas pu trier tout cela au jour. Ils ne s'endorment que fort tard, quand ils ont préparé tous leurs petit paquets et chanté plusieurs chansons.

V

LE 22 AOUT

Vers huit heures, par une matinée splendide, sur une mer étincelante, les canots très chargés qui ramènent les matelots, leurs armes, leur bagage, accostent les bâtiments de l'escadre.

Les autres, les moins heureux, ceux qui ont gardé le bord, attendent près des coupées pour voir ce retour : – ils rentrent avec des airs de conquérants, étalant de belles ceintures, portant des chapeaux de Chinois, des lances, des pavillons jaunes ou noirs au bout de hampes dorées ; ayant des coups de soleil, tous très noirs et mourant de soif.

Et puis, les uns ont ramassé des théières en vieux Chine, des assiettes à fleurs, des bouddhas, ou bien encore des hérons mystiques, oiseaux de pagodes qui perchent sur des tortues.

Et d'autres, les pratiques, les gourmets, rapportent des poules dans des cages pour les faire cuire à bord, – même de petits porcs vivants, passés en bandoulière sur leur dos, attachés par les pattes et poussant des cris affreux.

On est tout à la joie de ce grand succès rapide ; les nouvelles des journées douteuses du nord – au bord du fleuve Rouge – ne sont pas encore connues, et on se figure la paix immédiate, suivie bientôt du départ, du retour en France. Au souper, différents plats non prévus par le règlement circulent aux tables de l'équipage, avec des vins qui viennent de chez les officiers. Il y a même ensuite, au coup de neuf heures, un certain cortège qui s'organise et défile en se courbant sous les hamacs. Alors ceux qui dorment déjà s'éveillent en sursaut, et se penchent effarés pour voir ce qui passe au-dessous d'eux : – des grands chapeaux pointus, un défilé de Chinois ! !... les uns dans des robes mandarines, de coupe officielle, en soie noire, étriquées, trop étroites, ayant craqué aux épaules ; d'autres tout nus, portant simplement, – pour se donner l'air qu'il faut – une lance, un héron mystique, ou bien un bouddha.

Pas un mort à regretter, personne de moins à l'appel, pas la plus petite place vide ; – alors, la chose finit d'une manière absolument joyeuse.

Et demain, l'escadre doit se séparer, pour assurer différents services de ravitaillement et de blocus…

Milton Keynes UK
Ingram Content Group UK Ltd.
UKHW010840271023
431440UK00004B/231